A. LAMMERS

Adieu Amerika

2001
UITGEVERIJ BALANS

2001 Uitgeverij Balans
Copyright © 2001 A. Lammers

Omslagontwerp: Ron van Roon
Omslagillustratie © Image Store
Typografie en zetwerk: Adriaan de Jonge
Verspreiding voor België: Uitgeverij Van Halewyck,
Leuven

ISBN 90 5018 551 7
NUGI 641

Voor Dee & David

But wherefore do not you a mightier way
Make war upon that bloody tyrant, Time?

Shakespeare, *Sonnetten* XVI

LEIDSE HOOGLERAREN die hun ambt neerleggen houden doorgaans een afscheidscollege. Nog éénmaal gloriëren in het Groot Auditorium, familie en een mooie verzameling hoogwaardigheidsbekleders in de Spartaanse banken. Tegen het einde wordt het spannend. De vertrekkende krijgt ontroerd het laatste sacrament toegediend en wordt een sieraad van het Praesidium Libertatis genoemd. Hij of zij zal zonder twijfel in Willem Otterspeers geschiedenis van de (Rijks)universiteit belanden, desnoods als voetnoot. Na afloop volgt een receptie. Stralende gezichten, wijn en stukjes kaas, veel geroezemoes. De rede viel toch een beetje tegen, zegt X tegen Y. De strijd om de opvolging begint of is al beslist. Er ontstaan academische onderonsjes, men klaagt als steeds over het gebrek aan middelen. Een paar weken later verschijnt het college in druk. Dan is alles voorbij en verandert men voorgoed in een 'broodkruimel op de rok van het universum'.

Wegens privé-omstandigheden moet ik deze grote gebeurtenis aan mij voorbij laten gaan. Ik geloof niet dat het mij heel erg spijt, maar om Otterspeer te halen heb ik toch iets opgeschreven dat ik voor de grap een afscheidscollege noem. Het is veel te lang geworden. Aan de andere kant hoeft niemand mij voor wat dan ook te bedanken. Als ik zelf een dankwoord had moeten uitspreken, dan zou dat zijn gericht aan de hele Opleiding Geschiedenis in Leiden, vroeger Sectie en Subfaculteit geheten. Sommige leden ervan breng ik in het volgende ter sprake; ik bedoel iederéén met wie ik ruim dertig jaar heb samengewerkt. De levenden en de doden. In harmonie en vriendschap, met nu en dan wat goedaardig getwist ter inspiratie.

Zonder het niet aflatende vertrouwen van uitgever Jan Geurt Gaarlandt in mijn beperkte talent zou ik slechts een fractie van mijn verzameld werk hebben geschreven.

I

TOEN IK EEN JAAR of dertien was kreeg ik van een lieve dikke tante *De hobby club op avontuur in de USA* (1952) ten geschenke. De auteur ervan heette Leonard de Vries, iemand met een krachtig geloof in de exacte vakken. Op het gymnasium vond ik ze een nachtmerrie – algebra bleef abracadabra, net als de tango op dansles. Toch vond ik het een *mieters* boek. Twee meisjes en drie jongens, allemaal leden van de Amsterdamse Hobby Club, worden door de Amerikaanse regering uitgenodigd om geheel gratis een rondreis van zes weken door de Verenigde Staten te maken. De route mogen zij zelf bepalen, al geeft de United States Information Service natuurlijk wel advies.

Het begin is meteen overweldigend: de jongelui vliegen met een toestel van Pan American de Oceaan over. In de cockpit van de prachtkist gaven de techneuten hun ogen goed de kost. Dan de landing op Idlewild in New York, dat de vergelijking met Schiphol helaas niet kon doorstaan. Maar de stad zelf was een openbaring, met 'aan alle kanten oprijzende wolkenkrabbers'. Voor het eerst van hun leven zagen ze een echte *drugstore*, waar ze Coca-Cola dronken die veel lekkerder was dan thuis. De cheeseburger liet het groepje zich eveneens goed smaken. In het bloedhete Washington DC ontmoetten zij hun weldoeners van het Amerikaanse ministerie van Buitenlandse Zaken. Alles werd er voor hen geregeld, kaartjes voor de trein- en vliegreizen, de hotelboekingen, en per dag kregen ze tien dollar voor andere kosten.

Als tegenhanger van de Hobby Clubs in Nederland, kende men in Amerika de Science Clubs, verspreid over het hele land, wel vijftien duizend. 'Dat in Nederland nu ook niet zoiets mogelijk was', verzuchtte de hoofdpersoon van het boek. Waarom was men in ons land toch altijd zo bekrompen, zo ouderwets en zo krenterig als het om jeugdwerk ging, terwijl toch iedereen wist dat de jeugd de toekomst heeft? Tijdens de verdere reis bleef het uitverkoren troepje zich verbazen over het echt Amerikaanse streven jongeren in techniek te interesseren. Amerikaanse jongeren waren sowieso te benijden, al was het maar om hun kleding. Bijvoorbeeld de 'lange katoenen broeken met opgestikte naden', die *jeans* werden genoemd en gedragen door zowel jongens als meisjes. (Begin jaren vijftig liep ikzelf nog in een lullige plusfour.)

Het reisprogramma was een aaneenschakeling van 'denderende attracties'. Op Cornell University in Ithaca woonde het vijftal een conferentie bij van de World Association of Youth. Het idealisme straalde ervan af, en even opvallend was de huisvesting van de studenten in Ithaca: 'kraakheldere, eenvoudig gemeubileerde kamers met een overvloed van ramen'. Kwam daar in Nederland eens om! De hele levensstandaard in de Verenigde Staten was hoger, dat viel aan alles te merken. Amerikanen waren ontzettend trots op hun land.

Soms begon dat te vervelen en leek het patriottisme op de jengelmuziek die overal, in elk gebouw, elke winkel aanstond. Kritiekloos was het boek dus niet. De kennis die de Amerikanen over ons land tentoonspreidden was wel héél beperkt. Van koningin Juliana hadden sommigen nog wel gehoord dankzij haar bezoek aan de Verenigde Staten in 1952. *We love your Queen*, kreeg het groepje menigmaal te horen, maar dat praktisch iedereen geloofde in het bestaan van Hans Brinker die met zijn vinger in de dijk heel Nederland zou hebben gered, was een wetenschappelijk zwaktebod. Bovendien waren Amerikaanse kranten veel te dik: 'de *lay-out*, de opmaak, doet zeer rommelig aan en heeft veel weg van een drukke straat met warrelende lichtreclames, terwijl op bijna alle pagina's de kolommen met artikelen doorspekt zijn met advertenties'. Kennelijk waren de Amerikanen dol op sensatie, op berichtgeving over moord- en doodslag. De natuur was op een heel andere wijze sensationeel, vooral in Californië. San Francisco was een heerlijke stad. Hier zagen de vijf voor het eerst iemand aan het werk met een Polaroïdcamera, het wondertoestel dat instantkiekjes maakte. Hollywood was weer een tegenvaller, hoewel de teleurstelling werd verzacht doordat onze vrienden opnames op een echte filmset mochten bijwonen. *Action...camera!* Opwinding in de droomfabriek.

Leonard de Vries wist ook bij mij een zekere opwinding teweeg te brengen – ik las de 232 bladzijden in één ruk uit. Alleen: tegen het einde belandt de Hobby Club in het Zuiden van de Verenigde Staten. Daar nu liet Amerika zich op z'n slechtst zien. 'We schrokken van de wijze, waarop hier in het zuiden de negers in elk opzicht bij de blanken worden achtergesteld. Slechte woonwijken, lagere lonen dan blanken in gelijke functies, geen normaal kiesrecht [...] Steeds wordt de neger door onzichtbare, doch tevens ondoordringbare barrières gescheiden van de wereld der blanken [...] Lang niet alle blanken keuren dit goed, maar de meerderheid is er toch voor dat de *nigger* toch stevig onder de duim wordt gehouden'.

Desondanks had het Zuiden ook zijn goede kanten. Niets imponeerde het vijftal meer dan wat er in Tennessee tot stand was gekomen door de in de jaren dertig opgerichte Tennessee Valley Authority, een semi-overheidslichaam dat in het honderden kilometers lange stroomgebied van de rivier erosie en ontbossing bestreed, machtige dammen had gebouwd en de uitgestrekte vallei van elektriciteit voorzag. Het was één grote staalkaart van Amerikaans technisch vernuft. Aan de wieg ervan had Franklin Delano Roosevelt gestaan. Men draagt deze president ook na 1945 nog op handen, las ik in het boek. Blijkens een onderzoek vonden de meeste Amerikanen hem de grootste figuur uit de Amerikaanse geschiedenis. De Vries laat zijn hoofdfiguur in 1952 zeggen: 'Verscheidene van de grote staatslieden, die de geschiedenis kent, waren in wezen ongetwijfeld schurken, die over lijken gingen – Roosevelt was niet alleen groot en moedig, maar vooral diepmenselijk, niet alleen kundig en vooruitstrevend, doch tegelijkertijd idealistisch en eerlijk'.

De *Hobby Club op avontuur in de USA* kreeg een ereplaats in mijn boekenkastje, geflankeerd door bijvoorbeeld *Pieter Bas* en, later, de verzamelde gedichten van Marsman en Lodeizen. Na eerst een half jaar vruchteloos rechten te hebben gestudeerd in Leiden – ik kan mij alleen de colleges van de criminoloog Nagel herinneren – koos ik voor het vak geschiedenis, in de verwachting daarna de journalistiek of buitenlandse dienst in te stappen. Dat was 1959. De eerlijkheid gebiedt mij te zeggen dat ik tijdens de studie het avonturenboek van De Vries niet meer herlas, er stonden veel gewichtiger werken op het programma. Zo moest een eerstejaars verstandige dingen kunnen vertellen over bijvoorbeeld de *Leviathan* van Thomas Hobbes. Een rooskleurig mensbeeld schetste hij niet, maar het bleef wel hangen.

Het begrip studievrijheid werd destijds in Leiden erg ruim opgevat. Je rommelde als student een beetje aan, volgde bij hoge uitzondering college en deed nu en dan tentamen. Dat had uiteraard zijn plezierige kanten. Zo bleef er volop tijd over om buiten de geschiedenis te grasduinen. Paul Valéry ontdekte ik begin jaren zestig,

Monsieur Teste kende ik zowat uit mijn hoofd. Zijn gedichten bleven duister, al bestond er geen groter plezier dan ze alleen in mijn kamer op de Hogewoerd, boven een druk bezochte begrafenisonderneming, te declameren: 'Ce toit tranquille, où marchent les colombes,/ Entre les pins palpite, entre les tombes'. Samen met Hans Trapman, de latere kenner van Erasmus en S. Dresden, adoreerde ik een ravissante sirene. Ze deed aan poëzie en schijnt ook het hoofd van een dichtende dienaar Gods op hol te hebben gebracht.

Amerika raakte steeds verder uit het zicht, het waren de Fransen die mij boeiden. Camus, Sartre en iets dichter bij mijn vak: George Sorel en Charles Péguy. Over beiden schreef ik een scriptie, maar aangezien ook economische geschiedenis tot mijn hoofdvakken behoorde, moest er op dat gebied eveneens iets worden geproduceerd. Economie interesseerde mij geen snars en daarom was de keuze van een onderwerp bepaald geen sinecure. Maar net toen ik de moed al bijna had opgegeven, zag ik het boek van Leonard de Vries weer in de kast staan. De Tennessee Valley Authority! Franklin Roosevelt!

Veel meer dan wat ik in de *Hobby Club* over Roosevelt had gelezen wist ik niet en daarom besloot ik eerst een tentamen over deze president te doen bij de in Leiden pas benoemde lector in de Amerikaanse geschiedenis, Jan Willem Schulte Nordholt. Ik had geen college bij hem gevolgd, maar de berichten over de lector waren tamelijk gunstig. Ik diende een lijst in met negen boeken, waaronder vanzelfsprekend *The Age of Roosevelt* van Arthur Schlesinger jr. Het gesprek verliep kennelijk bevredigend, want ik kreeg een mooi cijfer en mocht mij daarna verheugen in Schulte Nordholts sympathie. Toen ik hem in 1965 bij toeval in de Koninklijke Bibliotheek ontmoette, vertelde hij over beurzen die Brandeis University in Waltham, dicht in de buurt van Boston, voor veelbelovende buitenlanders ter beschikking stelde. Wilde ik mij hiervoor kandidaat stellen en mij verder bekwamen in de Amerikaanse geschiedenis? Ik twijfelde geen seconde – net als het vijftal van de Hobby Club verlangde ik naar denderende avonturen in de Nieuwe Wereld, naar cola, cheeseburgers, Marlon Brando, jeans en jazz. En wat minstens zo belangrijk was: door met een beurs naar de Verenigde Staten te gaan bleef ik voorlopig uit de militaire dienst. Twee jaar in uniform over de hei kruipen? Ik bewees het vaderland liever andere diensten.

Schulte Nordholt schreef een prachtige aanbevelingsbrief (overdrijven voor de goede zaak ging hem makkelijk af) en een paar maanden later kreeg ik van Brandeis bericht dat ik *slated* voor de betreffende beurs was. Na het woordenboek erbij te hebben gepakt, begreep ik dat ik een goede kans maakte. 'Van ganser harte gelukgewenst met het verkregen fellowship. Het zal zijn vruchten wel dragen, geloof ik. T.z.t. hoor ik gaarne nog wel iets over de indrukken, ginds opgedaan', schreef professor Th. J. G. Locher. Zijn colleges over de wijsbegeerte der geschiedenis hadden mij aan het denken over denken gezet.

In augustus 1966 scheepten wij ons in – ik was inmiddels als drs. getrouwd – op de *Statendam*. De hooggeleerde H. Daalder uit Leiden lag dagenlang zeeziek op het dek – ik durfde hem alleen uit de verte te bekijken, want een professor was destijds nog een echte professor, zeeziek of niet. Pas toen in het vroege morgenlicht de contouren van New York City opdoemden, begonnen ook wij onze maag te voelen. Leonard de Vries had helemaal gelijk: de aanblik van de metropool in de ochtendmist was onvergetelijk.

II

OP BRANDEIS, IN 1948 gesticht en ogenblikkelijk de
trots van de joodse gemeenschap in de Verenigde Staten, schreef ik mij in als Ph.D. kandidaat bij de afdeling
History of American Civilization , al was het natuurlijk volstrekt onmogelijk die titel binnen een jaar in de
wacht te slepen. De docenten waren in het algemeen
bekwaam en toeschietelijk. Wel miste ik de aanwezigheid van Max Lerner, wiens omvangrijke werk *America as a civilization: life and thought in America today*
ik thuis had aangeschaft en gespeld. De man was echter
zo beroemd, dat hij zich zelden op de campus liet zien
en zeker geen college gaf.

Historici als Leonard Levy, Marvin Meyers en Morton Keller deden hun uiterste best Lerner te doen vergeten. Vooral Levy doceerde *Constitutional History* aan-
stekelijk – de gewichtige rol van het Hooggerechtshof
in het Amerikaanse stelsel werd mij een beetje duidelijk.

Intussen ontspon zich tussen Schulte Nordholt en
mij een correspondentie. *Hitch your wagon to a star*
zal ik waarschijnlijk hebben gedacht, maar de voornaamste reden van mijn bewondering voor de Leidse
lector, die in 1966 zijn oratie als hoogleraar hield, was
het feit dat hij behalve historische boeken ook dichtbundels het licht deed zien. In tegenstelling tot die van
Valéry kon ik ze begrijpen.

Een van de eerste brieven kreeg ik op 31 december
1966. Hij scheef daarin: 'Geniet zoveel je kunt van deze
jaren, ik zeg niet dat ze de mooiste van je leven zijn,
maar je wordt nog zo weinig geplaagd door die onzinnige papieren machinerie waarmee wij ook aan de Universiteit de leegten van het leven opvullen, en dat met
de volwassen ernst, die bij zulk spel hoort, vooral in

Holland'. In veel van zijn epistels kwam Schulte Nordholt op die papieren machinerie terug.

Tot mijn opperste verbazing schreef hij nog geen twee maanden later dat hij tijdens een gesprek met de voorzitter van de sectie Geschiedenis in Leiden, prof. Cohen, over mijn toekomst had gesproken. 'Ik hoop nl. eind 1968 of laatstelijk begin 1969 rechtens een wetenschapp. ambtenaar te mogen benoemen naast mij en het is niet dat ik niemand anders weet, maar ook dat ik denk dat jij (ik schrijf dat nu maar, want ik voel mij verstijven van ouderdom nu ik over benoemingen meepraat) daar zeer geschikt voor zou zijn'. Nu verstijfde ik van schrik. Een loopbaan aan de Rijksuniversiteit Leiden had nooit tot mijn plannen behoord. De Buitenlandse Dienst leek veel deftiger, hoewel ik van het hoofd personeelszaken vóór mijn vertrek naar de vs een cynische brief ontving omdat ik in mijn curriculum had vermeld cum laude te zijn afgestudeerd en iets in Amerika wilde gaan doen. Verkade heette de man.

De rechterhand van een dichter worden was bij nader inzien toch minstens zo prestigieus. Bovendien zou mijn uitstel voor militaire dienst misschien afstel worden omdat 'onderwijsgevenden' onmisbaar voor de maatschappij waren. Wél moest daartoe de periode tot eind 1968 worden overbrugd.

Schulte Nordholt adviseerde mij dringend nog een jaar in Amerika te blijven. Dat bleek geen enkel probleem. Mijn beurs werd door Brandeis verlengd, en wij voelden ons helemaal thuis in het land van Lyndon B. Johnson. De *Great Society* was een verlengstuk van Roosevelts New Deal en LBJ noemde zich graag FDR's rechtstreekse erfgenaam. Over de New Deal was al veel geschreven, maar naar mijn mening bleef Roosevelts tweede termijn van 1937 tot 1941 onderbelicht. Misschien dat ik daarover een heus proefschrift kon schrijven? Schulte Nordholt liet mij vanuit Leiden weten: 'Mij heeft de New Deal nooit erg getrokken, ik denk omdat het een nogal economisch stuk historie is'. Er was toch ook zoiets als het Federal Writers's Project of het Federal Art Project, had ik kunnen tegenwerpen. Over de aanpak van het rassenprobleem in de jaren dertig (Schulte Nordholts terrein) viel nog genoeg te schrijven. Ik had inspiratie kunnen opdoen uit een boek als *Ideologies and utopias* (1969) van Arthur Ekirch. Niet-economische onderwerpen te over, maar in vergelijking met de hoogleraar, die steeds meer aan de weg begon te timmeren, voelde ik mij een nietige beginneling. Mijnheer Boucher die aan het Haagse Noordeinde zijn befaamde boekhandel dreef, had mij als student reeds laten weten dat in Nederland geen boek over Amerika kon verschijnen of Schulte Nordholt moest erover geademd hebben.

Dat belette de hoogleraar niet, mij vaak persoonlijk getinte melancholieke brieven te schrijven. In mei 1967 liet hij weten: 'Nederland heeft feest en protest gevierd, en de lente is nu prachtig. Juist nu komen de drukke tijden, maar misschien is er hier en daar nog wat stilte in te vinden, tussendoor, want hoe leeft men anders? Ik hoor niet bij enige moderne richting die gelooft dat kerk, poëzie etc. hoort op te gaan in het alledaagse, een verkleinwoord voor het sociale. Ik ben dus conservatief'.

Hoe stond het met ons, waren ook wij 'conservatief'? Buitenlanders dienden goed op hun tellen te passen als ze hun mening gaven over Amerikaanse politieke toestanden. Anders liep je het risico zonder pardon het land te worden uitgezet. Bovendien werkten de meeste *graduate students* zo hard dat ze nauwelijks tijd hadden om te betogen tegen de oorlog in Vietnam. Althans, zo was het op Brandeis. Pas na mijn vertrek in de zomer van 1968 brak ook daar *all hell loose*. Mijn vrouw, die (illegaal) in een bloemenwinkel werkte, viel het wel op dat ze veel grafkransen voor gesneuvelde Amerikaanse soldaten moest maken. Johnson werd ons steeds onsympathieker, en pas toen senator Eugene McCarthy zich eind 1967 als presidentskandidaat aanmeldde, hervond ik mijn geloof.

We volgden zijn verrichtingen op de voet, want behalve intellectueel en politicus was McCarthy ook dichter. Een van zijn beste vrienden was Robert Lowell. Hij zag er goed uit, *cool*, en nam zijn kansen om LBJ uit het Witte Huis te verjagen zelf niet al te serieus. Dat was uiteraard schijn, en naarmate de voorverkiezingen in New Hampshire naderden, werden mijn Amerikaanse vrienden en ik geestdriftiger. Uit Leiden liet Schulte Nordholt mij weten: 'Ik volg ademloos de elections. Morgen New Hampshire, ik voel veel voor McCarthy, al zal hij niet te veel kans hebben'. Het pakte – voorlopig – anders uit. De senator uit Wisconsin bezorgde LBJ een zware morele nederlaag. Zelfs als buitenlander durfde ik nu in het openbaar met een button voor *Gene* te verschijnen. Robert Kennedy bedierf al gauw ons plezier. Na maanden te hebben getwijfeld, kondigde hij vlak na McCarthy's wonderbaarlijke prestatie aan, op zijn beurt als Democraat mee te dingen naar het hoogste ambt. Ik neem hem dat nog steeds kwalijk, ondanks het fraaie boek dat Arthur Schlesinger later over hem zou schrijven en ondanks de mooie woorden die Kennedy zelf gebruikte om zijn beslissing te rechtvaardigen. Wij zagen het als verraad aan Gene – McCarthy zelf trouwens ook.

New Hampshire en de nasleep ervan waren slechts het

begin van een jaar vol schokkende gebeurtenissen. We leefden er middenin, sprongen uit onze stoel toen Johnson aankondigde van een nieuwe termijn af te zien, en lieten onze tranen de vrije loop na de moord op Martin Luther King. Nieuws uit het eigen vaderland bereikte ons nauwelijks. We hoopten ons voorgoed in Amerika te vestigen, maar de dienstplicht bleek een onneembaar obstakel. Ik was inmiddels achtentwintig en langer uitstel zat er niet in tenzij ik bij de universiteit werd ingelijfd. Schulte Nordholt deed zijn uiterste best 'iets aardigs' voor mij te verzinnen en in de lente van '68 liet hij weten dat de bureaucratie eindelijk was bedwongen: in Leiden was voor mij per 1 september plaats als 'wetenschappelijk medewerker' bij de sectie Geschiedenis. Boven zijn brieven stond nu 'Beste Alfons', zij het met een caveat: 'Van mijn vriend en collega prof. Cohen heb ik het idee overgenomen mijn medewerkers en assistenten te tutoyeren tot ze gepromoveerd zijn, daarna wil ik terugkeren tot wederzijdse titulatuur (uit eerbied voor de doctorshoed) of verder gaan naar wederzijdse vriendschap, preferably het laatste'.

Dat was wel even schrikken, vooral door het besef dat die doctorshoed nog lang niet binnen handbereik was. Over Roosevelts tweede termijn had ik weliswaar in de Roosevelt Library in Hyde Park, New York, bronnenonderzoek gedaan, maar een uitgewerkt plan ontbrak. Wat dit betreft waren de docenten van Brandeis weinig behulpzaam. Leonard Levy stelde voor onderzoek te doen naar het *Temporary National Economic Committee* (TNEC) dat eind jaren dertig de monopolievorming in het Amerikaanse bedrijfsleven aan de kaak had gesteld. Hij liet de acht volumineuze delen zien waarin de bevindingen van de commissie waren neergelegd. Drogere kost bestaat niet, en ik gaf Levy daarom beleefd te verstaan dat dit toch niet *my cup of tea* was.

Hij liet mij in vrede gaan en viel mij niet meer lastig met andere voorstellen. Levy had mij door zijn colleges wél op het spoor van het Supreme Court gezet. President Roosevelt had de negen bejaarde rechters, van wie de meeste zich tegen de New Deal keerden, de wacht aangezegd door direct na zijn eclatante overwinning in 1936 een radicaal 'verjongingsplan' voor het Hof aan te kondigen. Zowat het hele land rolde over FDR heen. De onoverwinnelijk geachte president werd plotseling overladen met zware kritiek. Vervolgens begon de Amerikaanse economie opnieuw te kwakkelen en probeerde Roosevelt conservatieve partijgenoten in hun eigen staat beentje te lichten. Twee jaar na zijn *landslide* van '36 had hij veel van zijn politieke krediet verspeeld en riepen zijn tegenstanders dat de man in het Witte Huis dictatoriale neigingen vertoonde en zo gauw mogelijk moest verdwijnen. Deze vrije val van FDR nam ik uit Amerika als onderwerp mee naar Leiden om het daar verder uit te werken. Liefst met spoed, want bestond er een grotere eer dan tegen Jan Willem Schulte Nordholt Wim te zeggen?

III

BEGIN AUGUSTUS keerden wij terug 'uit de ballingschap naar dit bedaarde land', zoals Schulte Nordholt het formuleerde. Een ballingschap was het natuurlijk geen moment geweest. We moesten McCarthy aan zijn lot overlaten, hadden nog wel urenlang voor de beeldbuis gezeten om de begrafenis van Robert Kennedy te volgen, maar scheepten ons gelukkig juist op tijd in om niet te hoeven meemaken dat Nixon bij de Republikeinen en Humphrey bij de Democraten zegevierden. Heimwee naar de Verenigde Staten zou voorgoed aan mij knagen, ook al belandde ik in de vriendelijke Hobby Club die de Leidse sectie Geschiedenis was. Ik bleef terugverlangen naar ruimte en vrijheid, naar het land waar men elkaar niet aanstaarde en waar je een zonderling was als je fietste. Opeens begreep ik Huizinga die in *Mensch en menigte in Amerika* had geschreven: 'Het is alsof zich van het elan van Amerika's geest iets meedeelt aan hem, die zich de moeite geeft om dien geest te doorgronden', en wat een andere Nederlandse reiziger in de Nieuwe Wereld, P.H. Hugenholtz, nog vóór Huizinga had geconstateerd: ''t Is alsof in de hooge en drooge lucht van Amerika allerlei bezwaren U van de ziel gewenteld worden en een electrische stroom U door de leden gaat'.

Hoge, droge lucht was in Nederland een schaars goed. De hippe jonge socioloog Bram de Swaan, die in 1966/67 een jaar in de Verenigde Staten had doorgebracht, kwam tot dezelfde bevinding. In zijn boek *Amerika in termijnen. Een ademloos verslag uit de USA*, waarvan de eerste druk in november 1967 verscheen, noemde hij het vaderland herhaaldelijk een dodenrijk, met uitzondering van de provo's. Die brachten tenminste enig leven in de brouwerij, zoals in Amerika de New Left dat deed. Zijn boek vervulde mij met naijver. De Swaan schreef als een jonge god en zijn oordeel over Amerika was heel anders dan het mijne. Bovendien had hij het participerende avontuur in de VS niet geschuwd – misschien is dat het verschil tussen sociologen en historici?

Nog steeds kan ik de neiging om uit zijn boek te citeren niet weerstaan. Het is een classic in zijn soort. 'In Europa is "Amerika" de naam van een verhaal', zo begint De Swaan. 'Elke dag wendden wij het gezicht naar het Westen en hielden onze adem in. Toen de Amerikanen dan eindelijk in levenden lijve verschenen, kwamen zij in de meest verheven rol die aan mensen is toegestaan: als bevrijders [...] De Amerikanen hebben het ons niet moeilijk gemaakt om in het verhaal "Amerika" te blijven geloven'. Het bleef een land van gulheid en geluk tot aan het begin van de jaren zestig, schreef De Swaan. Pas op de dag van de moord op Kennedy werd Amerika volgens hem lelijk. 'Amerika doet het niet meer zo in Europa', vervolgde hij. 'De blinde liefde is voorbij. Een nieuw verhaal van Amerika wordt al verteld: dit keer gaat het over wreedheid en geldzucht, imperialisme en verdrukking van jonge landen, over machtswellust en overdaad'.

Het laatste leek mij nogal gechargeerd, ook al omdat ik van het nieuwe verhaal over Amerika in Europa tijdens ons verblijf in de vs weinig had vernomen. Natuurlijk verafschuwde ik Johnsons vulgaire bombardementen op Vietnam, maar ik weigerde LBJ en Amerika over één kam te scheren, indachtig het gezegde dat nergens zoveel anti-amerikanisme is te vinden als in Amerika zelf. De Swaans kritiek ging echter dieper: Amerika noemde hij het beloofde land voor allen die blank en burgerlijk waren. Voor zichzelf hadden ze een bijna volmaakte orde geschapen, zij het een orde waarin voor buitenstaanders geen plaats was. Niet dat de Verenigde Staten daardoor exceptioneel waren. Amerika was volgens De Swaan het voorland van Europa. 'Wie Amerika verwerpt, moet de hele westerse wereld afwijzen als een consumentenclub van welgedane, ontwikkelde, blanke burgers, die binnen zijn en de rest van de wereld buitensluiten'.

Gelukkig was *Amerika in termijnen* niet alléén gericht op wereldverbetering. Een hoogtepunt is bijvoorbeeld De Swaans beschrijving van de Amerikaanse eetcultuur: 'Het volk wil gevoed worden. Het kan niet geloven dat voedsel van zichzelf goed smaken kan. Onverwerkte natuurproducten jagen de Amerikanen angst aan. Alleen in speciale winkels voor organische voeding is eten te koop waar de machine niet met zijn stalen vingers aan is geweest [...] De hysterische smetvrees, de angst voor bacteriën, die zoveel Amerikanen plaagt, heeft de natuur omgetoverd tot een onzichtbare, alomtegenwoordige en dodelijke vijand'. Door dit soort observaties ging ik door de knieën voor De Swaan, en het verbaasde mij daarom niet dat hij in Nederland een van de leukste sociologen zou worden.

Ter aanvulling had De Swaan nog kunnen schrijven over de Amerikaanse pijndrempel, die tot ons genoegen heel wat lager lag dan wij in Nederland gewend waren. Een bezoek aan een vaderlandse tandarts was een zware beproeving – in de VS werd je in de watten gelegd en kreeg je verdovingen zoveel je wilde. *Natural childbirth* was voor verreweg de meeste Amerikanen een ramp die vrouwen over zichzelf uitriepen. Kinderen kon je in de moderne tijd makkelijk zonder pijn in de wereld zetten. En net als pijn behoorde ook de dood zoveel mogelijk uit het bewustzijn te worden gebannen. *The loved one* van Evelyn Waugh las ik nog vóór de grote oversteek, en later kwam er Jessica Mitfords vermakelijke boek *The American way of death* bij.

Behalve tragisch waren de Verenigde Staten aan het einde van de jaren zestig een land waar een Europeaan zich geweldig kon vermaken. Onze benedenbuurvrouw beschilderde zich als een indiaan en in diverse *country stores* vonden we meubelen waar na een maand of wat de vlooien uitkropen. In elk geval heb ik na onze terugkeer in de zomer van 1968 steeds de behoefte gevoeld om de eigen ervaringen in de Nieuwe Wereld naast die van anderen te leggen. Naar mij al spoedig duidelijk werd was het 'verhaal' Amerika veel langer omstreden dan – zoals De Swaan suggereerde – sinds de moord op Kennedy, de Vietnamoorlog en de rassenrellen van de jaren zestig. Blinde liefde voor het Amerikaanse experiment had in Europa nooit bestaan. Bij Huizinga al evenmin.

In Huizinga's Leiden kon ik mijn draai als wetenschappelijk medewerker in tijdelijke dienst aanvankelijk slecht vinden. Aan het salaris lag het niet: ruim veertienhonderd gulden bruto per maand, dat was riant. Van onze gespaarde dollars kochten we als blanke burgers een roestende Volkswagen – met schuifdak. De voornaamste oorzaak van mijn onbehagen was eerder het feit dat ik terugkwam in het oude nest, waar mijn vroegere docenten opeens collega's werden. Er bestond in het pand van de sectie Geschiedenis op Rapenburg 16 een duidelijke pikorde, een *deferential society* in miniatuur, met hoogleraren rolvast als mandarijnen.

Ook Schulte Nordholt, met wie ik twee jaar lang een hartelijke correspondentie had gevoerd, stelde zich afstandelijk op. Ik deelde een benauwde kamer met hem, én met de vaderlandse historicus J. J. Woltjer, in wiens bureau ik de beschikking kreeg over de bovenlade. Weliswaar vertoonden beide geleerden zich niet al te vaak op wat later de werkplek zou gaan heten, maar het gebeurde toch herhaaldelijk dat een van hen plotseling binnenkwam om tentamens af te nemen. Daar wenste ik vanzelfsprekend niet bij aanwezig te zijn. Ik verliet mijn kamer voor een wandeling en als het heel mooi weer was maakte ik een ritje naar het strand van Katwijk.

Een kleine beproeving was de koffiepauze, die stipt om halfelf begon. Je werd geacht daarbij aanwezig te zijn en losjes te converseren over dingen die niets met het werk hadden te maken. Vooral de cryptogrammen in de NRC vormden een geliefd onderwerp. Schulte Nordholt zag ik er zelden. Die werkte, zoals gezegd, liever thuis en als hij zich op het Rapenburg vertoonde was het meestal in vliegende haast. Academische ditjes en datjes interesseerden hem niet, laat staan geroddel over bijvoorbeeld zijn collega in Amsterdam, A.N.J. den Hollander. Dat die twee niet goed met elkaar overweg konden, werd mij al spoedig duidelijk.

Als student had ik dikwijls het Amerika Instituut aan de Oudezijds Achterburgwal bezocht. Daar stonden immers boeken die nergens anders te vinden waren. Den Hollander liep er als een grand seigneur rond, totaal niet geïnteresseerd in wat een Leidse student in zíjn Instituut te zoeken had. En waarom zou hij ook? Ik kon niet vermoeden dat mij jaren later werd gevraagd voor het *Biografisch Woordenboek van Nederland* een levensschets te maken van A.N.J., die in het najaar van 1969 een rel van jewelste in Amsterdam had veroorzaakt. Berichten daarover bereikten Leiden nauwelijks, Schulte Nordholt heb ik er nooit over gehoord. Zowel de een als de ander had dan ook een forse territoriumdrift. Misschien was er gewoonweg sprake van een generatieverschil: Den Hollander was van 1906, Schulte Nordholt van 1920. Toen zij begin jaren zeventig met hun medewerkers een vergadering belegden over de mogelijkheid om Nederlandse Amerika-deskundigen nader tot elkaar te brengen, hield Den Hollander de boot resoluut af. Volgens hem bestonden dergelijke deskundigen (behalve hijzelf) hier niet – dus hoe ze te verenigen?

IV

NIET LANG ERNA overleed Den Hollander aan een hartaanval, op 16 juni 1976. De Nederlandse pers meldde zijn heengaan tamelijk uitvoerig en ook in het buitenland werd hij hier en daar herdacht. Voor de European Association for American Studies (EAAS) stak zijn Noorse collega Sigmund Skard de loftrompet over wijlen de hoogleraar sociologie en amerikanistiek. Niet ten onrechte natuurlijk, maar Den Hollanders levensloop verfraaide Skard net iets te veel. Zo beweerde hij: 'Arie den Hollander was born in the Dutch bourgeoisie[...] In his lovely home in the Watteaustraat the visitors saw originals by the great Dutch masters of the past. In more ways than one he was a man of the world. His background differed from that of many of his colleagues'.

Uit mijn latere onderzoek kwam naar voren dat de werkelijkheid prozaïscher was.

Den Hollanders grootvader was landarbeider geweest en zijn vader had zich door noeste vlijt weten op te werken tot onderwijzer in Geervliet. Daarna werd hij te Rotterdam in de wijk Katendrecht hoofd van een lagere school. De maatschappelijke omstandigheden waarin de meeste van zijn pupillen verkeerden, schokten Den Hollander diep, waardoor zijn sociale bewogenheid ontwaakte. Hij sloot zich aan bij de kinderbescherming en trad als bestuurder toe tot de stichting Pro Juventute. In 1904 publiceerde hij een kleine brochure over de jeugd aan de zelfkant van het bestaan. Tien jaar later verhuisde hij met zijn gezin – Arie Nicolaas Jan was enig kind – naar Amsterdam, waar de vader betrokken raakte bij de oprichting van een Strenge School voor moeilijk opvoedbare kinderen. Hij kwam er aan het hoofd van te staan, was pedagogisch adviseur van de kinderpolitie en behartigde in nog andere functies de belangen van de misdeelde jeugd.

In 1924 volgde zijn benoeming tot directeur van de inrichting voor Stadsbestedelingen aan de Prinsengracht. Uit het weinige dat van Den Hollander sr. bekend is, komt hij naar voren als Bordewijks Bint. Zijn zoon kreeg rechtstreeks te maken met tucht en discipline. Welke invloed zijn moeder op de jonge Arie had – zij was de dochter van een kleine Rotterdamse boekhandelaar – is lastig te traceren, omdat Den Hollander weinig mededeelzaam over zijn jeugd was. 'Ik schijn een enigszins eenzelvig jongetje te zijn geweest', is een van de weinige confidenties die hij later deed.

Als middelbaar scholier haalde hij mooie cijfers en na het hbs-examen liet hij zich in 1924 inschrijven als student aan de Gemeente Universiteit. Breed hadden de Den Hollanders het zeker niet – door bijles te geven probeerde Arie deels in zijn eigen levensonderhoud te voorzien. Nauwgezette plichtsbetrachting was een tweede natuur, en in minder dan vijf jaar studeerde hij af in de sociale geografie, of sociografie zoals zijn leermeester S.R. Steinmetz het vak liever noemde. Den Hollanders doctoraalscriptie over 'Het moderne Egypte als landbouwland' werd hoog gewaardeerd. Men attendeerde hem op het bestaan van beurzen die de Rockefeller Foundation ter beschikking van veelbelovende jonge geleerden stelde om in de Verenigde Staten verder onderzoek te doen. De Nederlandse selectiecommissie, voorgezeten door Huizinga de Grote, liet zich door zijn presentatie overtuigen: Den Hollander mocht naar de overkant. 'Ik ging naar Amerika, omdat ik daar in 1930 de kans toe kreeg', zo verklaarde hij later. Tot die tijd was er van belangstelling voor de Nieuwe Wereld nauwelijks sprake geweest. In zijn jeugd had hij de bekende indianenboeken verslonden, maar daar bleef het bij. Zonder beurs zou hij naar eigen zeggen nooit 'amerikanist' zijn geworden.

Eenmaal aan de overzijde, wierp Den Hollander zich met hart en ziel op een onderwerp waarvoor Amerikaanse sociologen naar zijn mening te weinig oog hadden, te weten de positie van de arme landelijke blanken in het Zuiden, de zogeheten *poor whites*. Hij reisde tussen 1930 en 1932 door de zuidelijke deelstaten, deed er het benodigde veldwerk, gaf zijn ogen goed de kost en maakte uitvoerige notities. Literatuurstudie verrichte hij aan de University of North Carolina in Chapel Hill, en reeds in '33 verdedigde hij in Amsterdam zijn proefschrift van 417 bladzijden, bekroond met het predikaat cum laude. De bijzondere gaven van Den Hollander als sociograaf en socioloog zijn er ruimschoots in te vinden. Aan het slot van zijn boek deed hij een dringend beroep op de Amerikaanse overheid de strijd tegen de armoede in het Zuiden daadwerkelijk aan te binden.

De proeve van bekwaamheid die Den Hollander had afgelegd, werd ook in de Verenigde Staten opgemerkt. In de omvangrijke studie *Culture in the South* (1935), onder redactie van W.T. Couch (zijn mentor in Chapel Hill), stond een beschouwing van de jonge Nederlander over 'The tradition of the Poor Whites'. Internationale contacten zou Den Hollander ook later koesteren en verder uitbouwen. Terug in eigen land beperkte hij zich, vooral om financiële redenen, niet alléén tot zuivere wetenschap. In een tiental artikelen die in 1933 en '34 in het *Algemeen Handelsblad* verschenen, liet hij een breed publiek delen in zijn kennis van de Verenigde Staten. Hij behandelde lynchpartijen in het Zuiden, het onwettig stoken van whisky, de mijnwormziekte onder de arme blanken, de reusachtige naar Herbert Hoover genoemde stuwdam en goudzoekers in Nevada – waarnemingen van iemand die gefascineerd was door Amerika, in het bijzonder het marginale Amerika, ver weg van de grote politiek.

In het *Handelsblad* publiceerde Den Hollander in 1935 echter ook een vijftal beschouwingen over Roosevelts New Deal, met de vraag of door de economische depressie een 'revolutionair grondpatroon' was ontstaan in de vs. Den Hollander betwijfelde dat en was van mening dat de invloed van het zakenleven hiervoor te groot bleef. Anderzijds viel volgens hem niet te ontkennen dat zelfs indien de New Deal zou mislukken, de hoogtijdagen van het ongebreidelde Amerikaanse kapitalisme voorbij waren. Sociaal gezien vormde de New Deal een begin – kennelijk was het besef tot de regering in Washington DC doorgedrongen dat de 'enkeling niet meer de smid van zijn eigen lot is, dat alles samenhangt, dat de gedragingen van den een de welvaart van den ander beïnvloeden'. Het proces van verandering in Amerika was al met al boeiend genoeg om door Europa op de voet te worden gevolgd.

Den Hollander moest zijn best doen om in de crisistijd een behoorlijke baan te vinden. Eerst in 1938 kreeg hij een vaste plek op de 1e Amsterdamse H.B.S – hij ging les geven in aardrijkskunde en geschiedenis. Zonder twijfel zal hij, net als zijn vader, een harde leermeester zijn geweest. Den Hollander was eerzuchtig, jong afgestudeerd en gepromoveerd, publiceerde volop in wetenschappelijke tijdschriften en bleef altijd de 'beste van de klas'. Hij vond domheid onuitstaanbaar en betreurde het dat niet iedereen zo pienter en watervlug was als hijzelf. Het vergaren van beurzen en stipendia behoorde tot zijn specialiteiten.

Tijdens de oorlog deed Den Hollander in Amsterdam verzetswerk, maar hij werd in 1942 door de Duitsers opgepakt en als gijzelaar getransporteerd naar het Polizeiliches Durchgangslager in Amersfoort. Daar zat hij drie maanden vast, met als lotgenoten onder anderen Jan Romein. Diens vrouw Annie schreef later in haar herinneringen dat Den Hollander zich in het kamp knap staande wist te houden door een 'Tijl Uilenspiegelhouding'. Hij moest in Amersfoort sneeuw ruimen en het schoeisel van zijn bewakers verzolen. 'Ik beperkte mij tot het slaan van beslag in ss-laarzen', zei Den Hollander in een vraaggesprek. 'En het bood mij de gelegenheid zowel in het teenstuk als in de hak een te lange spijker niet helemaal in te slaan. Het was niet veel als bijdrage tot de geallieerde oorlogsvoering, maar een mens doet zijn best'. Na zijn vrijlating hield hij zich schuil en pakte de wetenschap weer op. Een van de vruchten hiervan was 'Het andere volk', de openbare les waarmee hij in mei 1946 – mede op voorspraak van Romein – het ambt aanvaardde van hoogleraar in de Inleiding en Encyclopedie van de sociologie aan de Gemeente Universiteit te Amsterdam. Een jaar later kreeg hij de opdracht – alweer op instigatie van Romein – tevens amerikanistiek te doceren.

Zo werd Den Hollander in het land der blinden koning: er was immers zowat niemand die zich hier grondig in Amerika verdiepte. Romein was er van overtuigd dat het tijdperk waarin de Europese mogendheden mondiaal de boventoon voerden na de Tweede Wereldoorlog definitief was afgesloten. Andere maakten zich breed, in het bijzonder de Verenigde Staten en de Sovjet-Unie. Wezenlijke kennis over de nieuwe supermachten ontbrak, zoals gezegd, in Nederland, en ter opvulling van deze lacune kreeg de Gemeente Universiteit behalve een Oost-Europa Instituut het Amerika Instituut. Dankzij genereuze bijdragen van de Rockefeller Foundation zag Den Hollander kans de boekerij van zijn Instituut flink uit te breiden. Het grootste deel van zijn tijd besteedde hij echter aan het onderricht in de sociologie – 'amerikanist' was Den Hollander slechts ten dele.

Colleges voorzag hij graag met citaten van Schopenhauer, zijn lievelingsauteur. Domme en trage studenten werkten op zijn zenuwen. Volgens hem werden ze in de jaren zestig steeds dommer, die studenten. Mondiger werden ze ook – de zwijgende generatie van de jaren vijftig maakte plaats voor een contesterende. In 1969 zou het tussen haar vertegenwoordigers en Den Hollander tot een ernstige botsing komen. (Het conflict waarvan ik in Leiden onkundig bleef.)

Tijdens een college op 14 februari van dat jaar probeerde een van de aanwezige studenten met Den Hollander in discussie te gaan over een opmerking die hij een week eerder had gemaakt, namelijk dat de 'middelmatigheid onder de studerende massa's thans algemeen is'. De hoogleraar repliceerde dat een collegezaal niet de meest geschikte plaats voor een debat was. De student liet zich evenwel niet terechtwijzen en toen het tumult steeds groter werd – er bestaan bandopnamen van dit beruchte college – voegde Den Hollander hem toe: 'Ik ken u niet. Als u niet oppast kunt u hier jaren last van hebben'.

Tact was inderdaad niet zijn meest opvallende eigenschap. Ook op de eis om syllabi van zijn colleges te verstrekken ging hij niet in. In plaats daarvan smeet hij zijn aantekeningen weg en beende woedend de zaal uit, het begin van wat later de 'affaire-Den Hollander' zou gaan heten. Dat juist hij de hoofdpersoon van een onverkwikkelijke zaak werd, is wel te begrijpen. De Hollander had domheid nu eenmaal het kenmerk van de massa genoemd en wat de ene keer prikkelend klonk, sloeg al gauw om in arrogantie en pedanterie. De zogeheten democratiseringsbeweging die zich eind jaren zestig aan de academische wereld voordeed, vond hij een aanfluiting. Wetenschap en democratie verdragen elkaar niet, zo luidde zijn standpunt.

De affaire en de nasleep ervan zouden Den Hollander blijvend traumatiseren, vooral doordat vrijwel niemand van zijn collega's in de Politieke en Sociale Faculteit zijn zijde koos. 'Ik kan er emotioneel slecht tegen, in de steek gelaten te worden', zei hij later. Hij voelde zich verraden door slappe bestuurders die zich zonder slag of stoot gewonnen gaven aan de 'sergeantsrevolutie'. (Met sergeanten bedoelde hij jonge wetenschappelijk medewerkers die de universiteit waren binnengestroomd, allerlei besturen bemanden en hun sympathie betuigden voor de opstandige studenten.) Voortaan zou de schampere toon waarvan Den Hollander zich al schrijvend bediende nog scherper worden, en ten slotte bazuinde hij rond dat universiteiten collectief onder hypocrisie, valse schijn en pretenties gebukt gingen. In zijn eigen vak, de sociologie, meende hij dat pseudowetenschappers met hun kwantitatieve gewichtigdoenerij en regelrechte kletspraat de overhand kregen. Een socioloog is nog geen goede socioloog door sociologie te hebben gestudeerd, vond hij. Je had er heel wat andere talenten voor nodig: een koel observerend oog en levenservaring, de wil om mythen door te prikken, maskers af te trekken.

Hoe pijnlijk 1969 voor den Hollander ook was geweest, het leverde hem één groot voordeel op: een aanzienlijke vermindering van zijn onderwijslast. Na eerst ziekteverlof te hebben opgenomen, beperkte hij zich vanaf 1970 tot lesgeven in de amerikanistiek voor gevorderden én tot het besturen van talrijke binnen- en buitenlandse wetenschappelijke organisaties. Daar bleef hij de grand seigneur die zich door niemand de wet liet voorschrijven. In Amsterdam verschanste hij zich in het Amerika Instituut om over zíjn Verenigde Staten te publiceren. Zo bewerkte Den Hollander een aantal artikelen uit de jaren dertig tot en met vijftig tot een bundel met als titel *Americana* (1970). Hij getuigde daarin opnieuw van zijn voorliefde voor het 'onofficiële' Amerika, dat wil zeggen het Amerika van de zwervers en zwarten, van indianen en het Zuiden. In het voorwoord schreef hij: 'Al schieten deze studies natuurlijk tekort uit een oogpunt van huidige sociologische onderzoekstechniek, ik geloof toch niet dat hun resultaten, toch altijd nog berustend op honderden vraaggesprekken, de plank zo ver misslaan'.

Merkwaardig is wel dat hij achter in het boek een curriculum liet opnemen waarin alle functies die hij als bestuurder bekleedde uitvoerig worden opgesomd. Alsof hij de buitenwereld nog steeds moest overtuigen van zijn hoge status. Bij academici komt dat wel vaker voor en je bent allicht geneigd dan aan een minderwaardigheidscomplex te denken. Mocht Den Hollander er werkelijk onder gebukt zijn gegaan, dan wist hij het bestaan ervan grandioos te bedekken.

Na *Americana* liet hij nog twee andere boeken het licht zien: het ene over de verbeeldingswereld van Edgar Allen Poe, het andere onder de titel *Het demasqué van de samenleving*. Hierin probeerde hij de onthullingsjournalistiek in het Amerika van het begin van de twintigste eeuw te analyseren, de *muckrakers* en hun pogingen de maatschappelijke wantoestanden van hun tijd aan de kaak te stellen. Het is niet Den Hollanders beste publicatie, althans niet vanuit het perspectief van een historicus.

Van meer belang is een van zijn laatste artikelen, 'Amerika en Europa: convergentie of divergentie?', waarin hij opnieuw terugkeerde naar een thema dat hem al veel langer bezighield: de Europese beeldvorming van de Verenigde Staten. Daarover had hij reeds in 1946 als pas benoemde hoogleraar georeerd. In het voorwoord van *Americana* legde hij nogmaals uit: 'De waarneming door de Europeaan van al wat in Amerika te zien is, schijnt altijd door een waas te geschieden, door een irrationeel tot stand gekomen vóórkennis te moeten breken. Wij weten er immers al zoveel van? Amerika begeleidt de Europeaan van zijn vroegste jaren af, het behoort tot zijn pseudo-ervaringswereld, als droom, als legende, als luchtspiegeling.' Wat Den Hollander dreef was de behoefte 'tot kennis van de werkelijkheid te komen'.

De vraag waar de lezer mee blijft zitten is wat volgens Den Hollander de Amerikaanse werkelijkheid nu precies is. Zíjn versie ervan? Het Amerika van de arme blanken, de hobo's of andere gemarginaliseerde groepen? Hoe kun je de mythen van een land opruimen dat zélf mythomaan is? Wel pleitte hij er in 'Amerika en Europa' voor om de Verenigde Staten te aanvaarden als een 'land waar een nieuw aspect van de Westerse beschaving is ontstaan waardoor het anders is dan Europa [...], waarmee wij onze eigen ervaringen, ambities, ontwikkelingen kunnen vergelijken, waartegen wij ons niet schrap hoeven te zetten, want elk continent zal toch zijn eigen weg gaan'.

Het waren nagenoeg zijn laatste woorden, Den Hollander overleed in het jaar waarin Amerika zijn tweehonderdjarig bestaan vierde.

Een gemakkelijk heerschap was wijlen de hoogleraar bepaald niet geweest. 'In many ways I think Den Hollander was a lonely man, but hardly by his own choice', schreef Skard in zijn herdenkingsartikel. Ondanks zijn streven naar demaskeren droeg hij zelf een masker. Dat van de zelfverzekerde potentaat die dacht in Nederland slechts parels voor de zwijnen te gooien en die daarom internationaal zijn vleugels uitsloeg; de enige geleerde ten onzent die zichzelf in staat achtte tot de Amerikaanse werkelijkheid door te dringen en onwaarheden omtrent de Nieuwe Wereld te ontzenuwen. Iemand uit de gegoede Amsterdamse bourgeoisie, zoals Skard dacht, een man van verfijnde smaak, *different from you and me.*

Maar daarnaast beschikte Den Hollander over een scherpe, kritische geest, hanteerde een vaardige pen en bouwde het Amerika Instituut op tot iets moois. Veel van zijn essays zijn het lezen meer dan waard, en vooral zijn proefschrift imponeert nog steeds. Als voorzitter van de EAAS (van 1968 tot aan zijn dood) bewees hij jarenlang zijn bestuurlijk talent. Daarom had de Nederlandse Omroepstichting groot gelijk toen ze in de serie *Markant* in 1975 een televisieportret aan hem wijdde.

Met gemengde gevoelens bewonderde ik Den Hollander op gepaste afstand.

V

Ook Schulte Nordholt hield ik enigszins op afstand, of juister gezegd, dat hield hij mij. Wél gingen wij nu en dan bij elkaar op bezoek. Toen hij op mijn studeerkamer een poster van de zwarte activiste Angela Davis zag, keek hij bedenkelijk. Zijn vrouw, Dieuwertje van Apeldoorn, was iemand van het 'stille volk'. Ze verafschuwde elke vorm van pretentie en dikdoenerij. Bij de koffie serveerde zij een kaakje of een plakje ontbijtkoek. In Leiden bestond de merkwaardige Vereniging van Vrouwen van Professoren en Lectoren – ze zal er geen lid van zijn geweest. Wetenschap liet zij aan haar echtgenoot over, ze was veeleer de vrouw van de dichter. Mijn wederhelft en mevrouw Schulte Nordholt konden het uitstekend met elkaar vinden, en ook voor mij schijnt ze een zwak te hebben gehad. Dat was dan wederzijds.

De hoogleraar zelf stak begin jaren zeventig al zijn energie in de voltooiing van het vervolg op *Het Volk dat in duisternis wandelt*. Het stelde mij enigszins teleur dat ik toen het verscheen geen presentexemplaar kreeg. Voor *In de schaduw van een groot licht* moest ik gewoon naar de boekhandel. Zou de titel persoonlijk bedoeld zijn geweest? Hij zette er op mijn verzoek genadiglijk zijn handtekening in. Als troostprijs had ik kort tevoren van het ministerie van Defensie een schrijven ontvangen waarin mij voorgoed vrijstelling werd verleend 'wegens aanwezigheid van een bijzonder geval'. Die brief kwam naast Angela Davis te hangen.

Ik ging mij in 1972 nóg aangenamer voelen doordat het *Algemeen Dagblad* na Nixons overweldigende verkiezingsoverwinning om commentaar vroeg. Opeens stond mijn portret naast dat van H.J. Neuman en mr. G.B.J. Hiltermann en heette ik een deskundige te zijn. Als doctorandus kon ik die weelde nauwelijks dragen: ik meen mij te herinneren een paar positieve dingen over Nixon te hebben gezegd. (Uit de nieuwste literatuur over Nixon blijkt overigens dat ik mij achteraf toch niet hoef te schamen – Daniel Patrick Moynihan heeft de man van Watergate onlangs een van Amerika's belangrijkste presidenten genoemd.)

Of Schulte Nordholt onder de indruk van mijn nieuwe status als deskundige was, is mij ontschoten.

Hij bracht mij wel in contact met hoge pieten van de Amerikaanse ambassade. Dineren met de cultureel attaché behoorde kennelijk tot mijn taken als wetenschappelijk medewerker op het gebied van de nieuwste

Amerikaanse geschiedenis. Ik was destijds nog links genoeg om mij onbehaaglijk bij deze innige contacten te voelen. Werd je onafhankelijkheid als historicus er niet door op het spel gezet? Schulte Nordholt was heel wat pragmatischer, hij liet zich de attentie van de ambassade graag welgevallen. Er kwam immers geld vandaan om de Leidse bibliotheek van nieuwe boeken te voorzien, of fondsen voor reisbeurzen en andere aardigheden.

Desondanks vond ik het niet prettig in 1997 in het boek van J.C.C. Rupp *Van oude en nieuwe universiteiten. De verdringing van Duitse door Amerikaanse invloeden op de wetenschapsbeoefening en het hoger onderwijs in Nederland, 1945-1995* te lezen hoe nauw de United States Information Agency (USIA) betrokken was geweest bij pogingen om Amerika in Nederland op de academische kaart te zetten. Schulte Nordholt was een sleutelfiguur, althans te oordelen naar een rapport dat in 1965 vanuit Den Haag naar de USIA in Washington werd verzonden. Dr. Schulte Nordholt was 'no doubt the single most important and influential person among the target audiences'. Hij zou grote invloed hebben in *leftist circles* wegens zijn vroegere sympathie voor de Derde Weg. Tot ongeveer een jaar geleden, zo vervolgde het rapport, had dr. Schulte Nordholt zich dikwijls zeer kritisch uitgelaten over het Amerikaanse rassenprobleem en de Amerikaanse defensiepolitiek. Maar: 'We hebben hem materiaal gegeven om de progressieve traditie in de Verenigde Staten opnieuw te bestuderen[...] en hem er uiteindelijk van weten te overtuigen hoe noodzakelijk een sterke Atlantische Gemeenschap is, waardoor hij nu met sympathie over de Amerikaanse geschiedenis schrijft'.

Zou het echt zo simpel zijn geweest, had Schulte Nordholt zijn ziel aan de duivel verkocht en zich door de ambassade laten corrumperen? Wie zijn boeken en artikelen van vóór 1965 bestudeert moet erg zijn best doen om 'uiterst kritische geluiden' te ontdekken. Waarschijnlijk vond de USIA het vervelend dat hij publiceerde over de moeizame verhoudingen tussen zwart en blank in Amerika, een onderwerp dat 'links' telkens gebruikte om onze bevrijders in een kwaad daglicht te stellen. *Het volk dat in duisternis wandelt* publiceerde Schulte Nordholt ongetwijfeld níet om het anti-amerikanisme hier te lande op te stoken, terwijl zijn biografie van Lincoln uit 1959 Nederland juist liet kennismaken met Amerika's meest humane president. Van een omslag in Schulte Nordholts denken is in feite nooit sprake geweest en het rapport van de USIA zal daarom wel zijn bedoeld om de bazen in Washington DC ervan te overtuigen, hoe hard Den Haag zijn best deed het Amerikaanse evangelie door middel van de Leidse lector uit te dragen. Hoogstens kan worden vermoed dat beide partijen baat dachten te hebben bij de samenwerking.

Het is allerminst mijn bedoeling Schulte Nordholt in bescherming te nemen tegen bepaalde verdachtmakingen. Het lag alleen niet in mijn aard, soepel te verkeren in het gezelschap van officiële vertegenwoordigers van het Amerikaanse imperium. Bovendien was ik, als medewerker in tijdelijke dienst, lang niet *influential* genoeg om mij in hun belangstelling te verheugen. De opmerkingen in het AD waren evenmin bedoeld om bij de ambassade in het gevlij te komen. Een zo grote bewondering voor Nixon had ik nu ook weer niet. Integendeel, ik bewaar vol trots de *Times* van 8 augustus 1974 die op de voorpagina met koeienletters NIXON RESIGNS meldt. Mijn Amerikaanse vriend Bruce Freed, Democraat in hart en nieren, stuurde mij sinds ons afscheid van Brandeis wekelijks dikke enveloppen met kranten-artikelen toe. *Wall Street Journal*, *New York Times*, *Washington Post*, *New Republic*, alles knipte hij uit om mij zo goed mogelijk op de hoogte te houden. Ik heb er dankbaar gebruik van gemaakt om mij als 'deskundige' verder te ontwikkelen.

Een wetenschappelijk medewerker kreeg natuurlijk ook studenten onder zijn hoede. Schulte Nordholt gaf de grote hoorcolleges, waar hij op zijn best was – mij werden zogeheten werkgroepen toebedeeld. In mijn eigen studententijd had ik voldoende slaapverwekkende colleges gevolgd om te proberen het anders aan te pakken. Hoewel doceren nooit mijn wensdroom was geweest, ging het gemakkelijker dan vermoed. Leidse studenten bleken overwegend niet de kwaaie jongelui te zijn die in Amsterdam Den Hollander een trauma hadden bezorgd. Als je ze een beetje opporde hielden ze vaak een aardige spreekbeurt en schreven de voordracht vervolgens keurig op. Ondanks of juist door Nixon, Vietnam en Watergate was de Amerikaanse geschiedenis een trekpleister. In de loop der jaren heb ik mij daarom suf gepeinsd over geschikte onderwerpen voor colleges, werkstukken en doctoraalscripties. Dat is voorlopig de enige kritiek op mijn pupillen: ze moesten bijna zonder uitzondering hun onderwerpen op een presenteerblad aangereikt krijgen – eigen initiatief was niet hun sterkste kant.

In 1972 werd ik studiementor, hetgeen betekende dat je lijdende studenten moest troosten en bemoedigen of een zakdoek voor de tranen geven. Heel wat jonge Werthers (m/v) zijn op mijn kamer verschenen en ten slotte waande ik mij meer psychiater dan historicus. Welk advies te geven als een relatie op de klippen was gelopen, een opa of oma overleden, de motivatie tijdelijk zoek was en een deadline verstreken? Van de studiementor werd tevens verwacht dat hij aan het einde van het academisch jaar ten overstaan van de sectie verslag uitbracht over alle studenten die niet of ternauwernood aan de eisen hadden voldaan. Deze zwakke broeders en zusters kregen te horen dat het beter voor hen zou zijn, elders hun heil te zoeken. Mijn hart bloedde bij het overbrengen van deze boodschap. Na drie jaar hield ik het voor gezien.

Met de afvallers had ik des te meer medelijden omdat ik zelf nog met mijn proefschrift worstelde. Veel collega's overkwam hetzelfde, al was begin jaren zeventig het *publish or perish* nog niet in zwang. Volgens sommigen was het zelfs chiquer om zo weinig mogelijk te publiceren, een standpunt waar wel iets voor is te zeggen. Maar Schulte Nordholt zag het anders, hij voorspelde problemen voor niet-gepromoveerde medewerkers. Ik moest echt opschieten om geen last te krijgen.

Het lukte net op tijd, en nog geen jaar nadat ik mijn dissertatie had verdedigd, werden de bakens in Leiden verzet. Alle doctorandussen kregen de waarschuwing zo spoedig mogelijk een proefschrift af te leveren, anders dreigde ontslag. Paniek in de sectie (inmiddels subfaculteit geheten). Van hogerhand stelde men commissies aan die ontduikers van het nieuwe gebod het leven zuur gingen maken. Als kersverse doctor hoefde ik niet voor de inquisitie te verschijnen. Ik mocht mij zelfs voortaan wetenschappelijk hoofdmedewerker noemen.

Nog vóór te zijn gepromoveerd, had ik dankzij Martin Ros in 1976 een boek met essays gepubliceerd, *De verjaring van de Nieuwe Wereld*. Een bestseller zou het begrijpelijk genoeg niet worden, er verscheen op de achterpagina van NRC *Handelsblad* wél een voorpublicatie van. Een hele eer. Vooral omdat ik daarna het verzoek kreeg de Achterpagina van de kwaliteitskrant regelmatig van stukken te voorzien. Ze hoefden niet per se over Amerika te gaan, liet de betreffende redacteur tot mijn opluchting weten.

VI

DAAROM KOOS IK voor mijn eerste artikel de aanbeden schilder David Hockney; voor het tweede de Engelse dandy, essayist, cartoonist en meester van de ironie, Max Beerbohm (1872-1956).

Mijnheer Boucher had mij al in 1964 de bloemlezing *The incomparable Max* aangeraden, en ik was meteen verkocht. Nadien heb ik de jacht ingezet op Beerbohms hele oeuvre. Tot mijn verbazing bleek een groot, internationaal befaamde kenner ervan aan de Groningse Universiteit Engelse en Amerikaanse Letterkunde te doceren, dr. J.G. Riewald. Hij had Beerbohm in levenden lijve ontmoet en hem overgehaald een introductie te schrijven voor de dissertatie waarop Riewald in 1952 promoveerde. Dat proefschrift stuurde hij mij toe, met als opdracht 'For dr. A. Lammers, with kind regards from a fellow Maximilian'. Maximiliaan ben ik altijd gebleven, ook in de eenentwintigste eeuw waarin vooraanstaande intellectuelen luidkeels verkondigen dat ironie de plaag van de moderne tijd is. *That hurts.*

W.H. Auden beweerde eens dat Beerbohm een gevaarlijke invloed op zijn lezerspubliek had. Max behoorde immers tot de schrijvers die zich te gemakkelijk bij hun kleine talent neerleggen. Maar wat is klein? Een criticus schreef 'Beerbohm is a leisurely perfectionist who ever since his earliest years has avoided all uncongenial work'. Daar zit wel iets in. Een van zijn karakteristieke uitlatingen is te vinden in een brief die hij

[41]

in 1904 aan zijn latere vrouw, de Amerikaanse actrice Florence Kahn richtte: 'Ik kan het bestaan alleen verdragen als het mij plezierig wordt gemaakt. Meestal gebeurt dat ook [...] daarom gaat het mij, al met al, goed. Maar ik houd alleen van het leven als het mij elke dag *something nice* heeft te bieden. Een gelukkig iemand is geloof ik iemand die geen hulp nodig heeft om gelukkig te zijn en die het leven neemt zoals het komt. Zo iemand zal ik nooit worden'. Hij koketteerde graag met zijn eigen luiheid en deed alsof schrijven een te zware last was. In 1910 vestigden Max en Florence zich voorgoed in Rapallo – omgeven door camelia's en oranjebomen maakte hij genadeloze karikaturen van bekende schrijvers en politici of polijstte zijn opstellen, parodieën en verhalen. In 1943 hield hij de Rede Lecture over Lytton Strachey. De lezer beseft meteen dat hier een grootmeester aan het woord is. Ik vergaf het hem graag dat hij, ondanks zijn huwelijk, de Amerikaanse maatschappij verfoeide. Wellicht was het ironie?

Een andere schrijver aan wie ik voor de krant mijn hart verpandde was de Amerikaan Ring Lardner. Volgens kenners is zijn beroemdste zin: 'Shut up, he explained'. Lardner is mijn favoriete alcoholist, net als hij dat voor Scott Fitzgerald was – in alle bescheidenheid. Ring had eigenlijk ingenieur moeten worden. Het liep op niets uit – ik had er evenveel talent voor als een 'hostess on a roller-skate rink', beweerde hij later. Ring werd in 1885 geboren in het vriendelijke provinciestadje Niles, Michigan, als laatste van negen kinderen. Zijn ouders zaten er warmpjes bij, in een groot huis met een nog grotere tuin en overal personeel. Ring hoefde niet naar school, lessen kreeg hij van een gouvernante. Zijn moeder had een levendige belangstelling voor cultuur – voor zover in Michigan voorradig. In familiekring werden toneelstukjes opgevoerd, met Ring vaak in de glansrol. Soms bedacht hijzelf een scenario, maar zijn grote passie was toch honkbal. De jongen kende de standen in de nationale competitie uit het hoofd. Alles bijeen, een idyllische jeugd, waarna al wat zou volgen alleen maar kon tegenvallen.

Na de *high school* wist Ring niet goed welke draai aan zijn leven te geven. Twee jaar liep hij in Niles rond als meteropnemer, tot hij in 1905 min of meer bij toeval in de journalistiek terechtkwam. Als sportverslaggever bij een van de vele kranten die Chicago rijk was combineerde hij zijn ontluikend schrijverstalent met zijn passie voor het honkbal. Hij onderscheidde zich meteen van zijn collega's door de laconieke, *deadpan* humor die hem spoedig tot een gevierd columnist zou maken. Met de Chicago White Sox reisde hij door heel Amerika en leerde de spelers van nabij kennen. Voor een van hen, een analfabeet, moest hij brieven schrijven naar een verre geliefde. Het zou Lardner inspireren tot een serie verhalen over een jonge honkballer die dacht aan het begin van een grote loopbaan te staan. De grote mond had hij al. Omstreeks 1910 waren honkballers in Amerika geadoreerde helden – Ring bracht ze terug tot menselijke proporties.

Op aandringen van een vriend stuurde Lardner in 1914 een proeve van zijn bekwaamheid op naar de *Saturday Evening Post*. Hij genoot toen al een zekere faam door zijn dagelijkse krantenrubriek 'In the wake of the news'. Hij schreef over van alles en nog wat, over zijn kinderen bijvoorbeeld. In 1910 was hij na een lange moeizame vrijage – zijn schoonvader vond het vak dat Ring beoefende te weinig perspectief bieden – met een vrouw getrouwd die minstens zo levendig als zijn moeder was. Ze zetten kort na elkaar vier vrolijke spirituele baasjes op de wereld. De honkbalverhalen in de

Post werden uiteindelijk gebundeld tot *You know me, Al*, gesteld in de eigenaardige spreektaal van weinig ontwikkelde sporters.

Ring verdiende er flink aan. *Money making* was een belangrijke drijfveer: zijn vader had in 1901 door verkeerde investeringen al zijn kapitaal verloren. Over zijn 'roeping' praatte Lardner gekscherend. Geld kwam met steeds grotere bakken binnen. Hij liet het graag rollen, kocht huizen met minstens zulke grote tuinen als waarin hij als jongen had gespeeld. Tevens bouwde hij een levensverzekering op die bij zijn dood tweehonderdduizend dollar bedroeg. De gedachte dat hij jong zou sterven, had al vroeg bij hem postgevat. Lardner schreef zich de vingers blauw en begon daarnaast al even stevig te drinken. Zijn column verscheen inmiddels in bijna 150 kranten, en bovendien produceerde hij korte verhalen, die door H.L. Mencken de hemel werden in geprezen. Lardner 'defloreerde het maagdelijke woord'. Hij schreef zoals de gemiddelde Amerikaan praatte, inclusief de dikwijls hilarische fouten.

Vrolijke verhalen waren het bepaald niet, ze worden veeleer gekenmerkt door zwarte humor. Critici hebben later het beeld opgeroepen van een misantroop, de schepper van een wereld gevuld met hoogst onaangename spitsburgers, valsspelers, schijnheiligen, irritante vrouwen en nog naardere parvenu's.

Het is allemaal waar, maar evengoed bezag Lardner het Amerika van de jaren twintig met een zuiverende blik. Dorothy Parker sprak van een *strange, bitter piety* waarmee hij zijn milieu portretteerde. Zijn succes verbaasde hemzelf nog het meest. Een van zijn bundels heet *How to write short stories*, hetgeen uiteraard persiflerend was bedoeld. In de Twenties verschenen tal van *How to* boeken, allemaal bedoeld om de Amerikanen nóg gelukkiger en succesrijker te maken. Lardner moest er hartelijk om lachen: succes was de geheimzinnige ziekte die de Verenigde Staten bedreigde.

Zelfingenomenheid is wel het laatste dat men Lardner kan verwijten – vrienden als Scott Fitzgerald vonden juist dat hij zich als auteur serieuzer diende te nemen. Maar Ring was en bleef de Buster Keaton van de Amerikaanse literatuur. Een lange, gesloten man die zelden lachte en alleen zijn mond opendeed als het moest.

Een van de ontmoetingen waar ik graag bij had willen zijn, is die tussen president Coolidge, 'Silent Cal', en Lardner. Volgens getuigen wisselden de heren slechts twee nietszeggende zinnen uit. Politiek interesseerde Ring hoegenaamd niet, hij was een beetje Republikein maar stak overigens de draak met elke gezagsdrager. Liever verkeerde hij in kringen van de New Yorkse *wits* die zich rond de Algonquin Table verzamelden. Alcohol vloeide er rijkelijk – Ring was soms dagen zoek om de fles nog eens extra te raken. Was het uit onvrede over het uitblijven van The Great American Novel, waartoe sommige critici, onder wie Edmund Wilson, hem in staat achtten? Ik geloof er niets van, net als zijn zoon Ring Lardner jr, journalist en scriptwriter, die in *The Lardners. My family remembered* (1976) een onvergetelijk portret van zijn vader schetst.

Tussen 1922 en 1924 was Lardner op Great Neck, Long Island, de buurman van de Scott Fitzgeralds. Scott had diepe bewondering voor Ring en Ring bewonderde Scotts vrouw Zelda. Twee jaar lang zouden deze *midwesterners* elkaar nagenoeg elke dag zien, legendarisch geworden party's organiseren of bezoeken en een record aantal keer het drankverbod overtreden. Lardner maakte van nabij de geboorte mee van *The Great Gatsby*, het boek dat Fitzgerald eeuwige roem zou bezorgen. Maar de verkoopcijfers vielen zwaar tegen en de critici waren niet unaniem geestdriftig. Na het vertrek van de Fitzgeralds naar Frankrijk, bleven Ring en Scott elkaar brieven schrijven en elkaar opbeuren als de inspiratie uitbleef. In 1927 zegde Lardner de journalistiek voorgoed vaarwel, hij kon nu van zijn verhalen leven in een stijl die bij hem paste. Toch namen zijn zwarte stemmingen verder toe, deels veroorzaakt door zijn slechte gezondheid. Er werd bij Ring tuberculose vastgesteld, en ook zijn hart bleek zwak. Dat weerhield hem er niet van te veel te drinken en te roken en te hard te werken. Aan zijn jeugd had hij een liefde voor het theater overgehouden – het was zijn grote droom een geslaagde musical te produceren. *June Moon*, dat in 1930 zijn première beleefde, kwam er nog het dichtste bij, andere pogingen liepen op een mislukking uit. De laatste drie jaar van zijn leven lag hij vaak in het ziekenhuis, slapeloosheid maakte zijn bestaan vrijwel ondraaglijk. Ring overleed in september 1933.

Fitzgerald schreef vrijwel meteen erna een korte necrologie, waarin hij opnieuw beweerde dat Ring zichzelf tekort had gedaan:'So one is haunted not only by a sense of personal loss but by a conviction that Ring got less percentage of himself on paper than any other American of the first flight'. Anderen waren het hartgrondig met Fitzgerald oneens. Gilbert Seldes beweerde zestien jaar later in de inleiding van *The portable Lardner* dat het Rings verdienste was geweest de kloof tussen *highbrow* en *lowbrow* te overbruggen – als hij over eenvoudige honkballers schreef, schreef hij volgens Seldes over 'humanity at large'. En niemand had een beter oor voor de Amerikaanse taal gehad, zoals Mencken eerder had vastgesteld. Seldes legde verder uit dat 'Lardner has the habit of catching human beings when they think no one is looking at them'.

Lardner krijgt ook de zegen van maestro Karel van het Reve, maar dat ontdekte ik pas veel later. In *Achteraf* komt Ring op bladzijde 116 ter sprake. Van het Reve zegt dat hij 'heel bekend is, ik was zijn naam vaak tegengekomen, maar had tot voor kort geen regel van hem gelezen. Hij is een goede schrijver. Ik weet niet of er Nederlandse vertalingen van hem bestaan' en als iemand daartoe een poging zou wagen, kon het volgens Van het Reve al gauw te lollig worden, aangezien Lardner veel spreektaal gebruikt en 'dat is voor een Nederlandse vertaler bijna altijd aanleiding om net het verkeerde woord uit de Nederlandse spreektaal te nemen'. Vertaald is Lardner voor zover ik weet inderdaad niet, en dat is maar goed ook. Het verbaasde mij wel dat Van het Reve hem heel bekend noemt. Niet in Nederland, hoop ik.

The portable Lardner staat in mijn boekenkast naast *The incomparable Max*, hoe wezenlijk de auteurs ook van elkaar verschillen.

VII

IN NRC HANDELSBLAD trok ik mij weinig aan van Huizinga's dictum uit 1915 dat het niet het werk 'van den historicus is om als Demosthenes in den storm te spreken' – dus dat een historicus zich verre van het heden moet houden. (Onnodig te zeggen dat Huizinga zich evenmin aan dat gebod zou houden.) Ik schreef behalve over schrijvers en schilders over de politieke situatie in de Verenigde Staten, waar Jimmy Carter tot president was verheven. Een wel heel ongrijpbare man! Iemand die beweerde dat hij in tegenstelling tot zijn voorgangers nooit zou liegen tegen de kiezers, iemand die God aan zijn zijde wist en prat ging op zijn nederigheid. Een buitenstaander in het Witte Huis, die vrijwel onmiddellijk de *liberals* in de Democratische partij tegen zich in het harnas joeg.

Arthur Schlesinger vond hem een Republikein in schaapskleren, nog het best te vergelijken met Herbert Hoover, eveneens van huis uit een ingenieur met doelmatigheid als leuze. In de kolommen van de *Wall Street Journal* en elders bleef Schlesinger volharden in zijn kritiek, mogelijk met de bedoeling Jimmy in 1980 te vervangen door een nieuwe Kennedy, Edward. Mijn Amerikaanse vriend bestookte mij met pakken vol knipsels – als tegenprestatie zag ik mij welhaast gedwongen, ze te verwerken tot stukken en stukjes. Zeker nadat ik in december 1977 de last van het proefschrift van mij had afgeschud en Schulte Nordholt eindelijk Wim werd.

De Leidse Hobby Club – nu dus subfaculteit – was sinds mijn aantreden in 1968 flink uitgebreid. Van het Rapenburg verhuisden we naar een veel groter gebouw aan de Middelste Gracht, dat we met psychologen deelden. Schulte Nordholt en ik kregen een ruime kamer met prachtig uitzicht over de binnenstad. Onze band was aanzienlijk hechter geworden, en ik maakte van nabij mee hoe vreselijk kwaad hij kon worden als hij voor de zoveelste keer op het verkeerde knopje van de diensttelefoon had gedrukt of wanneer er andere dingen niet meteen naar wens gingen. Als (gewezen) katholiek wist ik niet dat protestanten zó heftig tekeer konden gaan. Die geprikkeldheid werd vooral gevoed doordat hij aan bepaalde bestuurstaken moest geloven, waarvan het voorzitterschap van de subfaculteit, van 1975 tot 1977, de ergste was. Tijdens vergaderingen waarop sommige collega's hun eigen stem te graag hoorden, tekende hij op de achterkant van gewichtige formulieren paarden of andere producten van Gods schepping. Hij bezwoer mij bestuurszaken in vredesnaam te vermijden – een advies dat ik vooralsnog van ganser harte overnam. Toen er een einde aan zijn lijden kwam verdween Wim ogenblikkelijk voor een jaar naar het buitenland: hij werd gasthoogleraar aan de University of Michigan in Ann Arbor.

Onze correspondentie kwam hierdoor weer op gang. De eerste brief kreeg ik al in september 1977, uit een Middenwesten waar volgens Schulte Nordholt 'veel te veel corn groeit die in gestadige regen veel te veel gedijt, maar waar alleraardigste ontsnappingsmogelijkheden zijn, met slecht weer de magnifieke musea binnen bereik, zoals Detroit (overigens een godslasterlijke stad), Toledo (idem) en Cleveland. Wij proberen aan het Amerik. leven te wennen, lezen, nu ja lezen, de NY Times, proberen ons te herinneren hoe wij het hier vroeger vonden: was het werkelijk zó lelijk?' Niettemin probeerde hij ons (mijn vrouw en mij) ertoe te bewegen, opnieuw voor een jaar naar Amerika te gaan. Ik zou bijvoorbeeld kunnen proberen om een beurs van de American Council of Learned Societies (ACLS) te bemachtigen – 'ik kan je niet dwingen, maar wel dringend manen'. In een ander epistel schreef hij: 'Wij brengen schandelijk veel tijd door in de vrede van de woeste natuur, want er zijn hier in de buurt uitstekende trails waar je uren kunt lopen en de exotische herfstkleuren bewonderen, slechts zo nu en dan gehinderd door Amerikanen die van hun heilig recht op wapenbezit gebruik maken om op eekhoorns te gaan jagen'.

Dat ik veel minder reislustig dan hij was – ik vind een tocht naar de Provence al een hele opgave – had hij inmiddels wel begrepen: 'Er is in veel mensen, in mij ook wel, in jou misschien sterker – Dieuwertje herkent het beter – een neiging om op te zien tegen uitgaan – in alle betekenissen van dat aardige woord – hoe *outgoing* moet een mens wel of niet zijn? Maar achteraf is het soms een heerlijke ervaring de wereld in te zijn gegaan. Met de troostende gedachte dat je terug zult keren'.

Schulte Nordholt had groot gelijk. Na het moeilijke begin raakte ik te veel in Leiden ingeburgerd. De opvolger van de (geest)driftitige hoogleraar B.W. Schaper, die tijdens een college over het trauma van München nóg kwaad werd als de naam Chamberlain viel, werd H.L. Wesseling. Op 17 mei 1974 besloot hij zijn oratie met een citaat van de negentiende-eeuwer Henry Buckle: 'Iedere auteur die uit luiheid van geest of uit natuurlijke onbekwaamheid ongeschikt is zich bezig te houden met de hogere regionen der kennis, hoeft slechts een paar jaar door te brengen met het lezen van een aantal boeken en is dan gekwalificeerd om historicus te zijn, de geschiedenis van een groot volk te schrijven'.

VIII

DEZE (SCHIJNBARE) ZELFRELATIVERING zou onder Wesselings leiding een belangrijk onderdeel van de Leidse 'school' worden. Sommigen hadden er moeite mee, maar door mijn liefde voor Lardner en Beerbohm mocht ik ook deze hooggeleerde spoedig tot mijn vrienden rekenen. In tegenstelling tot Schulte Nordholt bleek Wesseling een rasbestuurder en imperiumbouwer. Wat ze gemeen hadden was hun uithuizigheid.

Uiteindelijk zou ik mij in 1978 laten overhalen vrouw en kinderen mee over de Oceaan te nemen, direct na Schulte Nordholts terugkeer uit Ann Arbor. Ik meende Roosevelt nog steeds niet voldoende te hebben doorgrond en stelde de ACLS daarom voor, een nieuw boek aan hem te wijden. FDR gezien vanuit het perspectief van zijn medewerkers en van journalisten die als tijdgenoten over de president hadden gepubliceerd. Men had er wel oren naar en eind augustus verdwenen wij naar Vassar College in Poughkeepsie, New York, waar de Roosevelt Library in Hyde Park dichtbij ligt. Achteraf tot mijn spijt verbrak ik tijdelijk mijn relatie met NRC *Handelsblad* – de wetenschap kon immers in het gedrang komen door journalistieke escapades. Met een beetje doorzettingsvermogen én een opdrachtgever had ik De Swaans *Amerika in termijnen* naar de kroon kunnen steken.

Toegegeven, de Verenigde Staten waren veel minder opwindend dan in de jaren zestig. De Amerikanen hadden het 'imperiale presidentschap' afgezworen en maakten zich in 1979 vooral druk om het feit dat zij door de oliecrisis in de rij bij de benzinepomp moesten staan. De populariteit van Carter daalde met de dag. Toen wij hem een televisietoespraak zagen houden, was de reden ervan niet moeilijk te begrijpen. Hij deed aandoenlijk zijn best maar legde overal de verkeerde accenten. Cartoonisten beeldden hem als een steeds kleiner mannetje af: 'the incredibly shrinking President'. We vlogen naar vrienden in Californië maar hadden ook voortdurend familie uit het vaderland over de vloer. De vuurvliegjes die we 's avonds in de tuin zagen stemden ons lyrisch.

In de Roosevelt Library ontmoette ik de toenmalige directeur, William Emerson, één en al bereidwilligheid om mij te introduceren bij vooraanstaande kenners van Roosevelt. Arthur Schlesinger trakteerde mij in New York City op een lunch. In de Century Club. Ik was diep onder de indruk van de lederen fauteuils waar de leden van de club in zaten weggezakt. Schlesinger verbaasde mij vooral door met open mond te eten en na het snijden van het vlees geen mes meer te hanteren. Een aloude Amerikaanse gewoonte. Ik vroeg hem naar zijn bewondering voor Walter Lippmann, die toch niet al te gunstig over Roosevelts New Deal had geschreven, en ook de zittende president kwam ter sprake. In een brief van 4 januari 1979 schreef Schlesinger: 'Wat Memphis betreft [plaats van samenkomst van een groep vooruitstrevende Democraten] deed het mij goed dat zo velen van mening zijn dat de Democratische partij haar sociale traditie dient te hernemen. Maar ik ben bang dat Carter denkt dat hij veilig naar rechts kan sturen, het terrein waar hij thuishoort, in de veronderstelling dat de *liberals* toch geen andere keuze zullen hebben in 1980. Zelf vermag ik niet in te zien of het in de binnenlandse politiek enig verschil zou hebben uitgemaakt als Ford in 1976 was herkozen – behalve dan dat de Democratische partij in dat geval vrij was geweest om het conservatieve beleid te bestrijden in plaats van erbij betrokken te raken'.

De winter was ongewoon koud, de lente van '79 te warm in Poughkeepsie. Het huis dat wij huurden had geen airconditioning en wij waren gedwongen in de koele kelder naar een slecht werkende televisie te kijken. Vanuit Jeruzalem bood de eigenaar duizendmaal excuses aan voor deze en andere ongemakken, bijvoorbeeld het lekkende dak. We renden voortdurend met emmers heen en weer en schreven brieven om nieuw onheil omzichtig te melden.

Poughkeepsie leek zijn beste dagen te hebben gehad, maar het is daarvandaan nog geen twee uur sporen naar NYC. In de trein die langs de Hudson deinde zie ik mijn oerdegelijke schoonvader zitten naast een Afrikaanse Amerikaan met een gele kam in zijn enorme haardos. Mijn oudste dochter keek in Central Station

haar ogen uit naar iemand die zijn houten been los-
schroefde, terwijl de jongste op school triomfantelijk
liet zien dat je hier in Amerika je hele lunch – hoepla! –
in de vuilnisbak mocht deponeren.

Intussen vulde mijn postvak op Vassar zich met brieven uit het vaderland en ik schreef trouw terug. Schulte
Nordholt verraste mij met de mededeling dat in Amsterdam de 'grote successie-oorlog van Den Hollander'
nog lang niet was uitgewoed, en 'ik heb mij door
Brands er in laten betrekken. De Amsterdamse tafere-
len zijn voor Leidse ogen verbijsterend, maar misschien is de leerstoel tenminste nog te redden'.

Wat er precies in Amsterdam gaande was, daarvan
zou ik de details nooit te weten komen. Ze interesseerden mij dan ook weinig. Er was naar ik mij liet vertellen
een strijd gaande tussen wat wij voor het gemak
idealisten en realisten zullen noemen. De idealisten
wensten na Den Hollander een vertegenwoordiger van
Nieuw Links te benoemen, bij voorkeur een Amerikaan – in dit verband circuleerde de naam van Gabriel
Kolko, een tamelijk warhoofdige historicus, maar wel
zéér progressief. De realisten wensten een doodnorma-
le Nederlander. Wijlen Den Hollanders medewerker
Rob Kroes leek een prima kandidaat, ook wel links gericht maar gematigder dan dr. Kolko. Kroes en ik hadden een beetje de manieren van onze bazen overgenomen en bejegenden elkaar zonder veel respect, een pose
die ik niet lang wist vol te houden. Hij was socioloog en
kon het ook niet helpen dat hij jargon gebruikte. Bovendien had hij jarenlang onder de knoet van Den Hollander gezeten, iets wat niemand in de koude kleren
gaat zitten.

Ondanks de bemoeienis van Schulte Nordholt en vele
anderen zou de Amsterdamse opvolgingsoorlog nog

jarenlang voortduren, totdat de zin ervan nagenoeg iedereen ontging. Pas tien jaar na het verscheiden van Den Hollander trad Kroes aan als hoogleraar in de amerikanistiek, dankzij de verplaatsing van de leerstoel naar de Letterenfaculteit – waarmee ik op mijn verhaal vooruitloop.

In ons lekkende Amerikaanse huis las ik in november 1978 over de affaire-Aantjes, waar Schulte Nordholt over zei dat het 'waarachtig een interessante zaak was'. Tegelijk liet hij weten: 'Al enige tijd wordt mij de gedachte aan de hand gedaan, vooral door onze Ambassade in Washington, dat wij in 1982 "iets" zouden moeten doen om te onderstrepen dat wij dan al 200 jaar innige vrienden met de Amerikanen zijn [...] Binnenkort heb ik een vergadering van onze semi-permanente exbicentennial-commissie waar de oud-ambassadeur Van Rooyen voorzitter van is en die bijeenkomst is speciaal bijeengeroepen om vooruit te zien naar 1982'.

Of ik nog suggesties had? Ik kon weinig anders bedenken dan een congres over Roosevelt, altijd trots op zijn Nederlandse *roots*. De commissie nam het in overweging maar besloot uiteindelijk dat FDR álléén te beperkt was en wenste de Nederlands-Amerikaanse betrekkingen in een wijder perspectief te plaatsen. Schulte Nordholt vermaakte zich uitstekend met de voorbereidingen van het congres dat in 1982 zou plaats vinden, en met andere zaken omtrent de lange 'vriendschap'. Er moet iets groots worden verricht, liet hij mij begin 1979 weten, 'sommigen wilden al de Nachtwacht sturen, om King Tut te evenaren, maar dat gaat gelukkig niet door. Wel komt, natuurlijk, het Concertgebouw-orkest, een tentoonstelling van moderne kunst e.d.'.

Terwijl wij de lente in Californië vierden, reisden

Wim en Dieuwertje naar Griekenland. 'Daar bloeide alles', vertelde hij in een brief, 'en er was nog veel ruimte om de Duitse toeristen te ontwijken'. Kort erna woonde hij een bijeenkomst bij van de Netherlands American Studies Association (NASA) over de intellectueel in Amerika, met als 'grote organisator jouw vriend Rob Kroes die naar Nijmegen schijnt te gaan'. Nijmegen?

Dat was nieuw voor me, en naar later bleek zou deze verhuizing op niets uitlopen. Wim meldde bovendien dat zijn nieuwe boek *Voorbeeld in de verte* op het punt van verschijnen stond, zijn imposante boek over de invloed van de Amerikaanse Revolutie op Nederland. Hij zou een exemplaar voor mij bewaren, in ruil voor literatuur die niet in Nederland maar misschien wel op Vassar was te vinden. Want hij was alweer bezig aan een nieuw project, een studie over de verschuiving der beschaving van Oost naar West, met Amerika als mogelijk einde van deze *translatio imperii*. 'Leidse nieuwtjes heb ik nauwelijks', voegde hij er nog aan toe. 'Ik draai mee in het geheel, maar met mate, en lees met bijna leedvermaak dat door de voorstellen van [minister] Pais er weer een heel nieuwe herstructurering op touw zal worden gezet. Ik hoef niets meer en God zij geloofd en geprezen in eeuwigheid nooit meer in zulke commissies. Amen, amen'. Kort voor ons vertrek uit Poughkeepsie liet hij nog weten: 'Hoe meer ik zie van "Amsterdam" hoe dankbaarder ik ben daar niet te hoeven werken'.

IX

DAT MOCHT ONS BEIDEN dan uit het hart gegrepen zijn, ook Leiden kreeg omstreeks 1980 te maken met de opdracht – van hogerhand – om te bezuinigen, een opdracht die de faculteit der Letteren twee decennia en langer zou blijven plagen. Mijn collega Carla Musterd, die Russische geschiedenis doceerde, en ik dreigden er de eerste slachtoffers van te worden. Door toedoen van een onhandige voorzitter van de subfaculteit kwamen hogere bestuurders plotseling op de lumineuze gedachte dat er van Rusland & Amerika wel een paar onsjes afkonden. We riepen de hulp in van onze Lord Protector, Henk Wesseling, op dat moment verbonden aan het Institute for Advanced Studies in Princeton, en die beloofde meteen na terugkomst uit de VS het voorzitterschap te zullen bekleden, zij het onder protest.

Bovendien ontstak Schulte Nordholt door het bezuinigingsvoorstel in een ongekende woede. Er werd met deuren gesmeten, de zittende *chair* kreeg de wind van voren en Wesseling nam inderdaad de voorzittershamer over. Dit alles met als resultaat dat Musterd en ik uit de gevarenzone verdwenen. De schrik zat er echter flink in, en de Thomas Hobbes die ik als eerstejaars had gelezen kwam weer van de plank. Toen ik hem voor het eerst bestudeerde was ik onder de indruk geraakt van de schets die John Aubrey van Hobbes had gegeven in *Brief lives*. Een voorbeeldig boek: in bondige zinnen slaagde Aubrey erin tientallen tijdgenoten voor de eeuwigheid te bewaren. Zoiets zou ik ook wel willen proberen. Vuistdikke biografieën zijn aan mij niet besteed. Als je iets hebt te zeggen, *keep it short*.

Het gelukkige toeval deed zich voor dat de levenslustige, veelzijdige Ivo Schöffer, hoogleraar vaderlandse geschiedenis in Leiden, het initiatief had genomen om onder auspiciën van de Rijks Geschiedkundige Publicatiën een vervolgreeks te maken op het *Nieuw Nederlandsch Biografisch Woordenboek*, waarvan het laatste deel in 1937 was verschenen. Dat ging het *Biografisch Woordenboek van Nederland* (BWN) heten, met een vaste redactie en eindsecretaris maar losse medewerkers. Van hen werd verwacht dat zij in een paar honderd woorden het onderwerp van hun keuze behandelden, geen geringe opgave. Aan het hoofd van de redactie stond uiteraard Schöffer, geflankeerd door onder anderen mr. J. Heldring (voor de juiste interpunctie) en de hoogleraar Van Deursen die er scherp op toezag dat men de vereiste lengte van de stukken niet overschreed. Deel I zag in 1979 het licht, het tweede uit 1985 bevatte enkele bijdragen van mijn hand. Ik had twee Nederlanders ontdekt die Amerikaan waren geworden, Hendrik Willem van Loon en Adriaan J. Barnouw.

Van Loon was door mijn onderzoek in de Roosevelt Library geen onbekende. Hij had menige brief aan de president geschreven, over koetjes en kalfjes, over chocoladehagelslag en het probleem van de Nederlandse herkomst van het geslacht Roosevelt. Volgens Van Loon zou nooit met zekerheid worden vastgesteld waarvandaan de eerste Roosevelt midden zeventiende eeuw naar de Nieuwe Wereld was overgestoken. Zeeland? Misschien, maar Haarlem of Rotterdam kwamen evengoed in aanmerking.

Later in de jaren dertig werd zijn toon ernstiger. Hij zag haarscherp dat nazi-Duitsland Nederland direct bedreigde en dat het slechts een kwestie van tijd was of de aanval zou komen. Roosevelt moest het Amerikaanse volk wakker schudden uit zijn isolationistische slaap, harder dan hij tot 1939 gedaan had. Als antwoord op *Mein Kampf* publiceerde Van Loon in 1939 het pamflet *Our Battle*. Hij schreef Roosevelt op 9 maart van dat jaar dat het overal in Europa werd vertaald, maar dat de verkoop in de Verenigde Staten tegenviel. 'The sale is dwindling. As compared to 300,000 copies of *How to save on your Income Tax*, 26,000 *Battles* is a mere drop in the bucket'. Daarom zou de president zich actiever moeten betonen, zeker als het ging om hun beider land van herkomst.

De banden tussen beide naties konden bijvoorbeeld worden versterkt door vooraanstaande Nederlandse politici uit te nodigen voor een bezoek aan de Verenigde Staten. Nog mooier ware het indien iemand van het koninklijk huis (de kroonprinses?) zich in Amerika zou laten zien, zoals Roosevelt zelf al eens had geopperd. Helaas, een hoog bezoek was vrijwel uitgesloten. Van Loon legde FDR uit waarom: 'In the first place, there was the Queen who did not want to see her daughter go to America without also visiting the Indies, and just now the Princess is supposed to provide the House of Orange with a great many little Oranges, a task which the dutiful Princess is fulfilling most dutifully. The Prince Bernhard to come alone [...] that, too, is an idea which does not appeal to his mother-in-law. He would undoubtedly go to Hollywood and as he has already a slight tendency to go to Hollywood (without even having seen it), the good Queen, who has a profound sense of duty, fears the consequences of such a visit'. Ik laat dit citaat maar onvertaald.

In plaats daarvan, zo vervolgde Van Loon, zou het wellicht een uitstekende gedachte zijn, minister-president Colijn te inviteren: 'U zult hem aangenaam gezelschap vinden. Hij rookt liever sigaren dan sigaretten, geeft de voorkeur aan de Bijbel boven *Hellzapopping* maar is verder geweldig bij de pinken en bij de tijd'. Het Witte Huis moest hem echter wel officieel inviteren voor bijvoorbeeld een bezoek aan de Wereldtentoonstelling in New York, anders kwam hij stellig niet.

Hendrik Willem wierp zich graag als bemiddelaar op. In ieder geval moest er íets gebeuren, want hij betreurde het ten zeerste dat terwijl onze beide landen zoveel gemeenschappelijke belangen hadden, er zo weinig werd gedaan om die te bevorderen. Een van de weinige positieve signalen vond hij de keuze van Den Haag voor jonkheer Loudon als nieuwe ambassadeur in Washington DC. Loudon was tenminste niet zo'n sufferd als zijn voorgangers.

Hoewel Roosevelt Van Loon liet weten, Colijn graag te ontvangen zou – door allerlei omstandigheden – ook dit plan in duigen vallen, waardoor Van Loon zich vanaf 1939 ten doel stelde de Nederlandse zaak in Amerika persoonlijk te bepleiten, bij de president én bij het grote publiek. Hij was dan ook niet de minste. Na een tamelijk ongelukkige jeugd in Rotterdam en Den Haag, had Van Loon besloten zijn vleugels buiten Nederland uit te slaan. Hij studeerde vanaf 1902 tot 1905 op Cornell University, maakte zich daar het Amerikaanse idioom eigen en probeerde zijn eenzaamheid te vergeten door op de viool te spelen.

Van Loon trad in dienst van de *Associated Press* en ging als verslaggever terug naar Europa. Dankzij een ruime erfenis en de financiële middelen van zijn eerste vrouw studeerde hij tevens geschiedenis aan de universiteit van München. Hij schreef een min of meer geleerd boek, in vertaling The *fall of the Dutch Republic* geheten. Het echtpaar keerde in 1911 voorgoed terug naar de Verenigde Staten.

Na een jaartje te hebben lesgegeven aan zijn alma mater, Cornell (zijn contract werd wegens zijn eigenzinnige gedrag niet verlengd), schreef hij enkele artikelen voor *The New Republic* en *The Nation*. Populariserende werken over onze vaderlandse geschiedenis hadden weinig succes en Van Loon leek depressief te worden. Tót zijn uitgever, Horace Liveright, hem het voorstel deed een groot overzichtswerk te schrijven in de trant van *The outline of history* van H.G. Wells. Hendrik Willem begon er meteen aan en al in 1921 verscheen *The story of mankind*, door hemzelf verlucht met tekeningen. Het boek werd een regelrechte bestseller, een hele generatie Amerikanen leerde iets van de wereldgeschiedenis kennen dankzij Van Loons vlotte, volgens sommige critici al te vlotte pen.

In razend tempo produceerde hij daarna een reeks populair-wetenschappelijke boeken, over uiteenlopende onderwerpen. Hoewel ze geen van alle de oplage van *The story* haalden, werd Van Loon een geziene figuur in de New Yorkse literaire en historische kringen. Zowel de invloedrijke historicus Charles Beard als de literaire criticus H. L. Mencken prezen hem uitbundig. Mede door de vele spreekbeurten overal in den lande en door zijn optredens voor de National Broadcasting Corporation, zou hij in de jaren twintig uitgroeien tot Amerika's bekendste *Dutchman*. Zelfs zijn nogal morsige huwelijksleven haalde de pers. Voor *Civilization in the United States. An enquiry by thirty Americans* (1922), door Harold Stearns geredigeerd, kreeg Van Loon de opdracht over de stand van zaken in de Amerikaanse geschiedschrijving een boekje open te doen. (Ring Lardner wijdde een komisch hoofdstuk aan 'Sport and Play'.)

Van Loon schreef voornamelijk om zijn zwaarmoedigheid de baas te blijven. Jan Greshoff merkte eens op dat Hendrik Willem zou zijn gebarsten als een 'ketel kokend water zonder tuit of klep' als hij niet voortdurend, met zijn indrukwekkende verschijning, op de voorgrond trad. Hij schreef en sprak aan één stuk door, *without fear and much research*. In al zijn publicaties is de man nadrukkelijk aanwezig. Zijn portret van Erasmus in *Van Loon's lives* is welbeschouwd een zelfportret – hij vond vooral dat de handen van de grote Rotterdammer precies op die van hem leken. Kritiek bracht enorme woede teweeg, en kritiek was er naast bewondering te over. Vooral in Nederland, van de ernstige Huizinga. Naar zijn oordeel bevatte *The story of mankind* allemaal onzin en de populariteit ervan vond Huizinga een 'veeg teken voor onze beschaving'. Heel wat positiever was Menno ter Braak, die wel iets zag in de 'brutale ongegeneerdheid' waarmee Van Loon te werk ging.

In 1940 begaf ook de jonge journalist en romanschrijver Adriaan van der Veen zich naar New York. Herinneringen aan zijn Amerikaanse avontuur schreef hij later op in *Vriendelijke vreemdeling* (1969), een boek dat misschien beter 'Een ijdeltuit in de Verenigde Staten' had kunnen heten. Maar het is een onmisbare bron van kennis over Hendrik Willem, de – vermeende – boezemvriend van president Roosevelt. Van Veen kwam al spoedig met de beroemde *Dutchman* in contact en knoopte, na een vraaggesprek, innige banden aan. 'Hij was zo volstrekt anders dan de Hollanders die ik tot dusver in New York had ontmoet, en die me, al had ik het niet willen erkennen, zwaar hadden ontmoedigd', noteerde Van Veen.

Nooit had hij een genereuzere 'eenmansfabriek' ontmoet dan Hendrik Willem, die z'n uiterste best deed om zijn nieuwe protégé bij Jan en alleman te introduceren. Van Veen betitelde hem als 'dat dikke, grote communicatiecentrum van een man' die als hij niets om handen had diep ongelukkig was en zijn afschuw uitte over de verwaande professoren in Nederland, zelfgenoegzame stakkers met hun pietepeuterige besognes en hun vetvrije boterhampapiertjes. Wat zijn ze zelf?

brieste Van Loon: 'keuteltjesleggers, en dan schrikken ze zich dood als er weer iets bij ze te voorschijn is gekomen. Dat moet worden ingepakt in grote dozen bewijsmateriaal, anders geloven ze niet eens dat ze het zelf hebben uitgepoept'.

Naast deze rancuneuze Van Loon bestond een heel andere man, die, toen Nederland had gecapituleerd, het Koningin Wilhelminafonds oprichtte om Nederlandse vluchtelingen wegwijs te maken in Amerika. Als 'Oom Henk' hield hij tal van radiopraatjes ter bemoediging van het bezette Nederland. Zijn gezondheid ging hij steeds meer verwaarlozen, soms raakte hij weer ten prooi aan depressies. Van Loon overleed in 1944, vol plannen voor een boek dat alle *professorenhistorie* te kijk moest zetten en met de onverwoestbare overtuiging dat het land van herkomst zou worden bevrijd door zijn tweede vaderland.

x

DE EINDSECRETARIS VAN het *B WN*, J. Charité, had de gewoonte, auteurs in alle vroegte thuis op te bellen met puntjes van kritiek of het verzoek om het beloofde artikel stipt op tijd aan de redactie voor te leggen. Ook ik ontkwam niet aan dat lot, en als 's ochtends tegen zeven uur de telefoon ging, kon het niemand anders dan de immer beleefde heer Charité wezen. Het schrijven van een zogeheten lemma kostte behoorlijk wat inspanning en tijd. Alle informatie moest immers nauwkeurig zijn, mét bronvermelding. Zo zwoegde ik na Van Loon enige tijd op Adriaan J. Barnouw. Met liefde natuurlijk, maar toch ook wel met de vervelende gedachte dat in de jaren tachtig de publicaties van leden van de Leidse faculteit der letteren werden gewikt en gewogen op het belang ervan. Stukken voor het B WN plaatste de commissie Wetenschapsbeoefening parmantig in categorie III, bij 'overige publicaties', hetgeen wil zeggen publicaties zonder veel nut. Medewerkers moesten immers de godganse dag 'grensverleggend' bezig zijn, natuurlijk liefst in internationale vakbladen, het deed er niet toe welke.

Met verbazing zag ik dat sommige collega's die in het dagelijkse leven normale mensen waren ogenblikkelijk veranderden in verlichte despootjes zodra ze macht kregen. De humaniora humaniseren niet altijd. In 2001 zou een heel hooggeplaatste persoon in Leiden verklaren dat het wetenschappelijk personeel bereid moest zijn om 'te worden afgerekend op het takenpakket waar je voor verantwoordelijk bent'. De term afrekenen was al veel langer in zwang geraakt. Een beetje bestuurder diende niet te bemoedigen en te stimuleren maar af te rekenen. Deze en andere huiveringwekkende taal wisten mij er toch niet van te overtuigen dat je jezelf als wetenschapper belachelijk maakte door bij te dragen aan het B WN.

Van Loon werd in 1944 met hartelijke woorden herdacht door mijn andere Nederlandse Amerikaan in het B WN, Barnouw. Wat was het succes van Hendrik Willem, 'the great popularizer of all that is knowable', geweest? Volgens Barnouw had hij zich – in tegenstelling tot de meeste andere Nederlanders in de Verenigde Staten – zonder enige reserve of bescheidenheid aan zijn nieuwe omgeving aangepast: 'He spoke as an American to Americans and always found the catching phrase because he himself had been caught by America'. Barnouw zei zich nog goed de eerste ontmoeting met Van Loon te herinneren, in 1919, toen hij nog geen grote reputatie had. De man was een fenomeen, hij vertelde vrolijke verhalen, zong liedjes in allerlei talen, deed kunstjes met kaarten, maakte tekeningen op de muur van zijn stamcafé en karikaturen van zijn vrienden. Zijn hartelijkheid was grenzeloos, Barnouw werd onmiddellijk naar Van Loons appartement in New York meegetroond. (Later zou hij zich in Greenwich, Connecticut, vestigen.)

Barnouw schreef in zijn *obituary* tevens dat de auteur van *The story of mankind* een echte melancholicus was, 'he was not at heart a happy man'. Over zijn jeugd sprak Van Loon met tegenzin, en zelfs toen hij in Amerika een gevierd schrijver werd, voelde hij zich miskend – in Nederland. Barnouw zei er wel begrip voor te hebben. Nederlanders waren veel te ernstig voor de vrolijke wetenschap die Van Loon bedreef. Saaiheid werd bij ons als opperste wijsheid beschouwd. Desondanks bleef hij van zijn vaderland houden, met een hartstocht die tijdens de oorlog zijn hoogtepunt bereikte. Hendrik Willem verdiende volgens Barnouw onze dankbaarheid ten volle.

Barnouw was een heel ander slag mens dan Van Loon, van een ander kaliber ook. Hij was, als zoon van een arts, opgegroeid in Amsterdam, toen de schoonheid van die stad nog ongeschonden in de grachten werd weerspiegeld. Na het gymnasium schreef hij zich in aan de Leidse universiteit en studeerde er van 1895 tot 1900 middeleeuwse en moderne talen, en bezocht de colleges van P. J. Blok voor de geschiedenis. In zijn vrije tijd nam hij, samen met zijn vriend Henri Frédéric Boot, het penseel ter hand of las het werk van de Tachtigers. In 1901 verdedigde Barnouw met succes zijn proefschrift.

Vervolgens brak een periode van zeventien jaar aan waarin hij Nederlands en geschiedenis doceerde aan het Openbaar Gymnasium in Den Haag. Onder zijn leerlingen bevonden zich Victor van Vriesland en Martinus Nijhoff, jonge dandy's die hun goedgeklede, tamelijk gereserveerde leraar met ongewoon respect bejegenden. Barnouw wenste meer dan een goede docent te zijn. Hij begon aan een Nederlandse vertaling van Chaucers *Canterbury tales* en vertoonde zich graag in het Haagse kunstleven. Van wetenschappelijke ambitie getuigde hij door in 1907 in Leiden als privaat-docent in de Engelse taal- en letterkunde aan de slag te gaan. Pogingen van de faculteit der letteren om hem tot lector te benoemen strandden, tot Barnouws grote teleurstelling, op onwil van de curatoren. In 1915 diende hij daarom uit eigen beweging zijn ontslag in.

Door puur toeval ontstond in datzelfde jaar Barnouws contact met Amerika. De kunstliefhebber was op het spoor gekomen van de vrijwel onbekende marineschilder Albertus van Beest, die in 1845 naar de Verenigde Staten was uitgeweken. Om nadere gegevens over Van Beest aan de weet te komen, plaatste Barnouw een oproep in het Amerikaanse weekblad *The Nation*. Daarvan bleek een van zijn Leidse vrienden, Harold de Wolff Fuller, redacteur te zijn. De twee heren hadden elkaar na hun studietijd uit het oog verloren maar begonnen nu een briefwisseling, met als gevolg dat Barnouw werd gevraagd om correspondent voor het weekblad te worden. Een verzoek waaraan hij maar al te graag gehoor gaf. Drie jaar later besloot Fuller een nieuw tijdschrift op te zetten. Hij vroeg Barnouw of hij er niet voor voelde om *The Weekly Review* mede gestalte te geven en de oversteek naar Amerika te wagen. Barnouw was uitgekeken op het leraarschap en dacht bovendien dat zijn kinderen een goede toekomst in de Nieuwe Wereld te wachten stond. Zo verhuisde het gezin in 1918 van Den Haag naar New York.

De *Review* ging al spoedig ter ziele, maar in 1919 kreeg Barnouw de vererende uitnodiging om op Columbia University in New York het Queen Wilhelmina-lectoraat over te nemen van Laurens van Noppen, de eerste bekleder ervan. De post was in 1913 in het leven geroepen op initiatief van een aantal vooraanstaande Nederlandse geleerden en zakenlieden, onder wie de uitgever Wouter Nijhoff, met als doel de vaderlandse taal en cultuur bekendheid in de Verenigde Staten te geven. In 1921 werd het lectoraat omgezet in een *full professorship* in de Nederlandse geschiedenis, taal en literatuur. Wat Barnouw in Nederland niet was gelukt, lukte in New York wél. Hij zou de leerstoel bijna drie decennia bezetten.

Barnouw ontpopte zich in Amerika als 'vertaler, vraagbaak, impresario, cultureel attaché en literair agent'. Geen plaats was te ver om een voordracht te houden. Hij publiceerde bovendien een lange reeks boeken, *Holland under Queen Wilhelmina* (1923), een studie over Vondel en *The Dutch. A portrait study of the people of Holland* (1940), om er slechts enkele te noemen. Net als Van Loon vermoedde hij dat zijn manier van geschiedbeoefening in Nederland niet serieus zou worden genomen. 'Ik ben meer artiest dan geschiedkundige', bekende hij. 'De beroepshistorici in het vaderland zullen wel een beunhaas in mij zien. Dat oordeel zou mij verbazen noch krenken; ik heb niet de minste pretenties in dezen. Maar die heb ik wel als auteur. Ik houd van schrijven, van spelen en schilderen met woorden'.

Barnouw toonde zich van zijn beste kant in de *Monthly Letter* die hij voor de Netherland-America Foundation schreef. Hij begon in 1924 aan deze brieven, in 1961 verscheen zijn laatste. Ze zijn nog steeds kostelijke lectuur en getuigen van zijn eruditie en de speelsheid van zijn geest. Een veelheid van onderwerpen kwam aan bod, hij schreef net zo makkelijk over figuren als Troelstra, Van Gogh en Anthony Fokker als over kerkorgels, duivekaters en bromfietsen.

De verkoop van Nederlandse literatuur aan de Amerikanen vond Barnouw evenwel een haast niet te nemen hindernis. Zo schreef hij Theun de Vries, wiens werk hij apprecieerde: 'Mijn ervaring met Nederlandse boeken in New York stemt me pessimistisch. Hollanders zijn sterker in de beschrijfkunst dan in de vertelkunst' en daar wrong hem nu juist de schoen. In 1948 publiceerde hij zelf *Coming after. An anthology of poetry from the Low Countries*, maar ook dat boek kreeg in de Verenigde Staten niet de aandacht waar Barnouw op gehoopt had.

Het is jammer dat hij nooit zijn oordeel en bevindingen over Amerika te boek gesteld heeft. Dat vond hij zijn opdracht niet – die was eenvoudigweg Nederland onder de aandacht van Amerika te brengen. Hij voldeed eraan met een niet-aflatende energie, zonder te worden verscheurd tussen zijn twee vaderlanden. Tegen het einde van zijn leven schreef hij: 'They are joined with an unbreakable rim that holds them as one'. Ondanks toenemende oogklachten bleef hij schilderen, bij voorkeur in Taos, New Mexico, en in New York was hij een graag geziene bezoeker van de Century Club.

Na zijn dood in 1968 werd hij aan beide zijden van de Oceaan herdacht als een markante bemiddelaar tussen twee culturen, als onze cultureel attaché *par excellence* in de Verenigde Staten. En hij nam *mij* voor hem in toen hij bij de uitreiking van de Gouden Ganzenveer ten overstaan van de Nederlandse Uitgeversbond zei: 'Ik ben te lang een dromer geweest om mij nog thuis te voelen in deze wereld van computers. Cijfers en getallen hebben mij altijd schrik aangejaagd, algebraïsche formules hebben mij nooit iets gezegd [...] Ik ben verzot op lijnen en kleuren, niet van de rechte lijn die je niet zonder liniaal kunt trekken, maar van de bewegende lijn waarin de hand die hem trekt innerlijke emoties laat zien'.

XI

NEE, GRENSVERLEGGEND zullen mijn korte levens van deze *dead white males* niet zijn geweest. Dan had ik mij beter kunnen richten op andere kwesties die in de historiografie plotseling boven kwamen drijven en weer even plotseling verdwenen. Maar voldoening gaf het wel om figuren als Barnouw en Van Loon van de vergetelheid te redden en ze te plaatsen in de lange traditie van de wisselwerking tussen Nederland en de Verenigde Staten. Richard J. Evans zou in de inleiding van *Rituals of retribution* (1996) schrijven dat historici in de jaren tachtig en negentig afscheid namen van 'large structures and grand theories' en zich in plaats daaarvan gingen concentreren op 'small scale investigations, often selecting the marginal, the irrational, or the seemingly trivial as their topic of research'. Dat leek mij een verstandige keuze. In de grote structuren was er ook voor het individu nauwelijks plaats.

Dat de Nederlands-Amerikaanse betrekkingen voortdurend in het teken van de vriendschap hebben gestaan – zoals het thema luidde van het grote symposium dat in 1982 onder voorzitterschap van Schulte Nordholt te Amsterdam werd gehouden – is enigszins bezijden de waarheid. Jan Blokker schreef in dit verband over 'anderhalve eeuw desinteresse en vijftig jaar dubieuze eerbied' en voegde er nog aan toe: 'Amerika is een land, waarvan we nu al twee eeuwen weinig of niets weten, of erger nog: nooit echt hebben *willen* weten'.

Blokker had in zoverre gelijk dat na onze vroege erkenning van de Amerikaanse republiek een lange periode volgde waarin men nauwelijks weet had van elkaar. Hans Brinker met zijn vinger in de dijk beheerste het beeld van Nederland in de Verenigde Staten, al nam de elite later in de negentiende eeuw gretig kennis van het werk van John Lothrop Motley over de Nederlandse Opstand tegen Spanje. Onzerzijds was er tot aan de Eerste Wereldoorlog evenmin veel belangstelling voor de Nieuwe Wereld. Wie goed zoekt stuit nog wel op enkele fraaie reisverhalen – bijvoorbeeld *Van 't Noorden naar 't Zuiden* (1881/82) door Charles Boissevain – maar al deze reizigers begonnen hun verslag met de klacht dat Nederlanders buitengewoon slecht op de hoogte waren van wat zich in Amerika voordeed aan economische en sociale wonderen. In 1926 verklaarde Huizinga tegen een Amerikaans gehoor: 'Educated people in America know a little more of European history than we Europeans generally know about the history of America. If I ask an indifferent friend: Who is Henry Clay? He will answer: a very good cigar'.

De vriendschap bloeide pas tijdens en na de Tweede Wereldoorlog weer op. Franklin Roosevelt zei – net als zijn verre oom president Theodore Roosevelt veertig jaar eerder – dat hij trots was op zijn Nederlandse afkomst en dat zijn land van herkomst een speciale plaats in zijn hart had. Hij verkeerde, zoals bekend, op goede voet met Wilhelmina ('Minnie'), die in de verte deed denken aan zijn moeder Sara Delano, ook wel Sara de Verschrikkelijke genoemd. Na 1945 zou het verwoeste vaderland tal van Amerikaanse economische impulsen krijgen en zich mede daardoor verder moderniseren.

Op academisch niveau bleven de Verenigde Staten

evenwel terra incognita, uitzonderingen als Den Hollander en Jacques Presser, die in 1948 zijn overdreven vermakelijke overzichtswerk *Amerika. Van kolonie tot wereldmacht* publiceerde, daargelaten. In Leiden vertoonde zich eind jaren veertig, begin jaren vijftig een aantal Amerikaanse gasthoogleraren, onder wie Arthur Schlesinger (senior) en Perry Miller. Historici met een missie, aangezien ze al gauw tot de ontdekking kwamen dat men hier de Verenigde Staten als object van studie nogal absurd vond. Schlesinger schreef in zijn herinneringen dat er in Leiden zelfs geen enkele behoorlijke kaart van Amerika was te vinden, en Miller publiceerde een stuk in *The Nation* met als veelzeggende titel 'What drove me crazy in Europe'.

Daarom hoeft het geen bevreemding te wekken dat de Amerikaanse ambassade in Den Haag zich tot het uiterste inspande om het 'land van onze bevrijders' enig academisch aanzien te geven. Schulte Nordholt werd de gevierde man. In Amsterdam was er het Amerika Instituut met Den Hollander en Rob Kroes, in Utrecht deed Maarten van Rossem steeds meer van zich horen – maar daar bleef het tot de jaren tachtig wel zo ongeveer bij. Nederland was wetenschappelijk gezien nog lang geen Amerika aan de Noordzee. Hoe vaak heb ik niet moeten horen dat ik het als docent in de geschiedenis en cultuur van Noord-Amerika wel héél makkelijk had. Hádden de Verenigde Staten wel een geschiedenis? Dat mocht dan plagerig bedoeld zijn, de humor ervan zou me uiteindelijk ontgaan. Ook in universitaire kring bleef een sluimerend anti-amerikanisme voelbaar. Ik kan het mij verbeeld hebben.

Bij de studenten in Leiden viel van enig antigevoel overigens weinig te bespeuren. Ze meldden zich met velen aan voor de colleges van Schulte Nordholt en van mij.

Ik kan met de hand op het hart verklaren het bestaan van docent aan een universiteit nooit banaal te hebben gevonden. Je komt in het onderwijs vogels van zo verschillend intellectueel pluimage tegen dat ik mij steeds bleef verbazen. Sommigen waren echt oliedom, anderen schreven op een niveau dat mij bijna jaloers maakte. En dan was er natuurlijk de grote middelmaat van het magere zeventje. Ik bleef van mening de levens van deze jonge mensen te kunnen beïnvloeden, niet door hen tot Amerika te bekeren maar door ze behoorlijk te leren schrijven en praten, door ze een zogeheten kritische attitude bij te brengen – en, als het even kon, goede manieren. Ik deed mijn best iedereen als *special* te beschouwen, maar ging in mijn ijver vaak te ver. Van een ondermaatse scriptie probeerde ik een redelijk stuk te maken door de scriptie eigenhandig te herschrijven in plaats van in de marge enkele kritische noten te kraken. Op den duur ging dat zich wreken.

Mijn pupillen zag ik in diverse sectoren van de maatschappij aan de slag gaan. In de media, op ministeries en in bedrijven – een enkeling waagde zich aan een proefschrift. Met sommigen bleef ik in contact; na afloop van doctoraalexamens heb ik de hand van menige dankbare ouder mogen schudden. Ik was vanzelfsprekend niet de enige. Anderen hamerden juist weer op het uitzonderlijke belang van publicatielijsten, niet zelden lieden die nauwelijks wisten wat een student was. Tot mijn geluk slaagde ik er langzamerhand in mijn 'productie' op te voeren. Om mij heen zag ik echter dat het leven van collega's die wat minder vaak de pen hanteerden maar overigens voortreffelijk onderwijs gaven, verpest werd door naargeestige dienstkloppers – of als ik mij echt kwaad maak: door huurlingen van een toenemend dirigistisch academisch regime.

In 1983 werden Schulte Nordholt en ik van elkaar gescheiden: de subfaculteit verhuisde van het geheimzinnige pand aan de Middelste Gracht samen met de gehele faculteit der letteren alsmede de universiteitsbibliotheek naar de fraaie Witte Singel. Over de schoonheid van het nieuwe gebouwencomplex valt te twisten – in één ervan, Doelensteeg 16, kregen Wim en ik een aparte kamer. In de jaren daarvoor hadden de historici *all over* Leiden lesgegeven, vaak in primitieve omstandigheden.

Wesseling illustreerde dat treffend in een brief naar Poughkeepsie: 'Ik mag, nu je er niet bent, zelfs zeven uur college geven, door de administratie met zorg verdeeld over het Stationsplein, het Rapenburg, het psychologisch instituut en "dit huis" [de Middelste Gracht]. Vooral het eerste gebouw is een interessante ervaring. De beste beschrijving van de "collegezaal" is te vinden in Dickens' *Oliver Twist* en Engels' *Die Lage der arbeitenden Klasse*, maar aangezien je die niet bij de hand hebt, volsta ik er mee te vertellen dat het vertrekje er uitzag als een Antwerps havencafé na een ernstig meningsverschil tussen Noorse en Griekse zeelieden, met als enig verschil dat dit vertrek geen kapotte ruiten had om de eenvoudige reden dat er geen ramen inzitten. Het hierdoor ontstane gebrek aan lucht wordt op originele wijze verholpen door een blazer die een koele straal in de nek van de docent blies, het gebrek aan licht door enkele in het plafond geschroefde lampen, waarvan slechts een kleine moedige groep doorzetters nog steeds brandde. Toen ik de deur achter mij wilde sluiten – ik begrijp nog niet waar ik de moed vandaan haalde – bleek er aan de binnenkant geen knop te zitten, hetgeen de gelijkenis met een vroeg 17^e eeuws dolhuis compleet maakte. Vervolgens gaf ik mijn heldere uiteenzetting over doel, opzet en indeling van het 1^e jaars werkcollege'.

Eindelijk was in de schier onhoudbare toestand verandering gekomen. De collegezalen en zaaltjes waren in de Doelensteeg dichtbij, en ieder kreeg zijn eigen kamer. Die van kroondocenten, de krodo's, waren uiteraard net iets ruimer dan de andere. Hier en daar werd zelfs nieuw meubilair geplaatst, Schulte Nordholt nam genoegen met de foeilelijke zwarte skailederen fauteuils van de Middelste Gracht. Hij werkte nog steeds liefst thuis in het vertrouwde Wassenaar. Als we op bezoek gingen haalde hij dikwijls zijn omvangrijke prentencollectie te voorschijn, waarin vooral Willem Witsen goed was vertegenwoordigd. Hij voorzag ze geestdriftig van commentaar.

In het vroege voorjaar van 1983 kregen we volkomen onverwacht bericht dat Wim door een hartaanval was getroffen. Ook op het randje van de dood, aan de monitor, bleef hij zijn omgeving met een dichterlijk oog bekijken. Een van de gedichten die hij kort na zijn verblijf in het ziekenhuis schreef is *Mene Tekel*:

Opeens is alles anders dan het was,
ik volg verwonderd op het donker glas
het vreemde schrift dat glanzende verglijdt
geluidloos als een rimpeling in de tijd.

Ik weet niet wat er staat, al is de taal
het handschrift van mijn hart en mijn verhaal.
Ik lees het niet, het brengt mij in de war,
het maakt mij bang, ik ben als Beltsazar

Mijn leven wordt gewogen en het is
als gloeidraad dansend in de duisternis.
Wat leest de dokter Daniël er in?
Mene mene tekel upharsin.

XII

ONDERWIJL DOODDE IK de tijd met artikelen en recensies. Ronald Steel publiceerde in 1980 zijn lang verwachte biografie van Amerika's beroemdste journalist Walter Lippmann (1889-1974), wiens naam veelvuldig door Arthur Schlesinger werd aangeroepen, zelfs tijdens onze lunch. Omdat ik voor tweedejaars studenten graag college gaf over de jaren twintig – een ideale periode om hen enigszins vertrouwd met de Amerikaanse geschiedenis te maken – kende ik Lippmann vooral van *Men of Destiny* (1927), een bundel levendige artikelen van een tijdgenoot over typerende kwesties en figuren uit de Twenties.

Vreemd genoeg hoort het tot zijn minst bekende werken. Diepzinnige boeken, zoals *Drift and mastery* en *Public opinion* worden veel vaker geciteerd – toch is de journalist Lippmann in *Men of Destiny* op zijn allerbest.

Walter gewoon journalist noemen is bijna blasfemisch. Zelf beweerde hij, in een vlaag van ongewone bescheidenheid, op geen ander predikaat aanspraak te willen maken. Hij verscheen achtereenvolgens of gelijktijdig in de gedaante van wonderkind, redacteur van *The New Republic*, politiek filosoof, adviseur en klankbord van presidenten, te beginnen bij Woodrow Wilson; als columnist met een lezerspubliek van miljoenen, als criticus van de Amerikaanse wereldorde en bovenal als representant van de Verlichting. Sleutelwoorden in zijn oeuvre waren realisme en rationalisme. Hij verwerkte ze in een proza waarover rechter Oliver Wendell Holmes eens zei: 'If I touch it, I am stuck with it till I finish it'. In Europa werd Lippmann gelezen om de Verenigde Staten beter te begrijpen, in Amerika om het vreemde Europese machtsspel te doorgronden.

Politieke elites aan beide kanten van de Oceaan likten Lippmanns hielen, en mede door de informatie die zij hem toevertrouwden slaagde hij er in, dé gezaghebbende analyticus van de politieke en diplomatieke kwesties van zijn tijd te worden. In eigen land bestreed hij de neiging om de rest van de wereld te beschouwen als verlengstuk van de Verenigde Staten. Amerika was niet per definitie anders en beter of exceptioneel, en moest duidelijk omlijnde principes hebben. Een doelmatige buitenlandse politiek definieerde hij als 'the bringing into balance, with a comfortable surplus of power in reserve, the nation's commitments and the nations's powers'.

Teddy Roosevelt noemde Lippmann in 1915 de intelligentste vertegenwoordiger van zijn generatie; in de jaren dertig werd hij algemeen beschouwd als een 'public monument', wiens zinnen tot en met punten en komma's bestudering verdienden. Lippmann was zich er terdege van bewust, hetgeen zijn spontaniteit en bravoure (zie *Men of Destiny*) niet ten goede kwamen. Steel besteedde daar, vond ik, te weinig aandacht aan en legde evenmin goed uit dat Lippmann, na een kortstondige vrijage met het socialisme, steeds conservatiever werd. Daarom kon hij weinig waardering voor de New Deal opbrengen. Befaamd is zijn oordeel over Roosevelt als kandidaat voor het presidentschap in 1932: 'een aardige man die zonder de daartoe vereiste capaciteiten te hebben graag president wil worden'. Destijds dachten velen precies zo over FDR, schrijft Steel, maar hij vergeet erbij te zeggen dat er nog veel meer gewone kiezers waren die Roosevelt een verademing vonden in vergelijking met de kille Hoover.

Bovendien zou Lippmann zijn negatieve oordeel in 1935 herhalen. Hij schreef een vriend dat Roosevelt een goed doch geen groot hart had, en 'een grote geest is hij al evenmin'. De president improviseerde er lustig op los – een weldoordachte aanpak van de crisis ontbrak volgens Lippmann ten enenmale. Het zou daarom geen ramp zijn als FDR niet werd herkozen. Toen die herverkiezing toch kwam was Lippmann een van de eersten om Roosevelt kwaadaardig te kritiseren over het plan de samenstelling van het Hooggerechtshof te veranderen – hij vond dat een 'staatsgreep zonder bloedvergieten' en zong als tenor mee in het koor dat Roosevelt verweet imperiale neigingen te hebben. Soms verloor zelfs deze fameuze *pundit* alle gevoel voor proportie.

Een nog minder aantrekkelijke kant van Lippmann, zelf jood, was zijn antisemitisme. In daad en geschrift bevestigde hij alle vooroordelen die destijds ook in de Verenigde Staten volop aanwezig waren. De joden hadden de discriminatie aan zichzelf te wijten, vond Lippmann. Hun parvenuachtig gedrag wekte terecht irritatie. Volledige assimilatie was de enige oplossing. Vooral joodse emigranten uit Oost-Europa minachtte hij, hun vulgariteit dan wel armoede stuitte hem tegen de borst. Dat Harvard University een quotum voor joodse studenten hanteerde, had zijn volledige instemming, en toen in de jaren dertig in Duitsland de vervolgingen begonnen zweeg hij er in zijn columns over. Over de holocaust zou hij met geen woord reppen.

Desondanks zou Lippmann zich volgens Steel tijdens de Tweede Wereldoorlog opnieuw knap weren. Hij streed op twee fronten tegelijk: aan het ene tegen de *America firsters*, die geen enkel heil zagen in een nieuwe interventie in de oorlog; aan de andere kant tegen de internationalisten met hun overspannen verwachtingen over de mogelijkheden van de Verenigde Staten om de wereld naar hun hand te zetten. Lippmann wees, als

Realpolitiker, onophoudelijk op de grenzen van de macht, op het in evenwicht houden van doel en middelen: 'I am more and more convinced that it is just as important to define the limit beyond which we will not intervene as it is to convince our people that we cannot find security in an isolationist party'.

Deze stelling werkte hij uit in US *foreign policy* uit 1944. Bescherming en bevordering van de Atlantische gemeenschap moest het hoofddoel van het Amerikaanse beleid zijn. Volgens Steel had het Marshallplan evengoed het plan-Lippmann kunnen heten, zó invloedrijk was Lippmann bij de formulering ervan (achter de schermen) geweest.

Van 1945 tot 1965 bevond Lippmann zich op het hoogtepunt van zijn roem. Jaarlijks reisde hij in grootse stijl naar Europa en overige delen van de wereld. Zijn (tweede) vrouw waakte dag en nacht over hem. Ze riep spelende kinderen bij de tennisbaan tot de orde met de gedenkwaardige woorden: 'Zeg blagen, willen jullie je mond wel eens houden, meneer Lippmann gaat serveren!' Na Theodore Roosevelt vond Lippmann Charles de Gaulle de belangrijkste staatsman van zijn tijd, terwijl hij tijdens een dineetje bijna slaags raakte met minister van Buitenlandse Zaken Dean Acheson. In Acheson meende Lippmann de belichaming te zien van de militarisering van de Koude Oorlog, van het riskante Amerikaanse *globalism* dat zou uitmonden in het drama van de Vietnamoorlog.

Niet dat Lippmann meteen tot de critici van het beleid inzake Vietnam behoorde. Vooral president Kennedy hield hij wat dit betreft de hand boven het hoofd. Hij werd immers door JFK en de zijnen uitbundig geprezen en gefêteerd – met Arthur Schlesinger als *gobetween*. In columns, brieven en vraaggesprekken liet Lippmann weten dat de jonge, krachtdadige president

JFK de Verenigde Staten nieuwe impulsen toediende en de Amerikanen het vertrouwen hergaf 'that everything is possible'. Een ongebruikelijke uitlating voor de realist die juist bekend stond om zijn waarschuwingen tegen al te hooggespannen verwachtingen.

Eerst onder het bewind van Lyndon Johnson kwam Lippmann weer bij zinnen. Weliswaar probeerde LBJ de koning van de columnisten net als Kennedy op te vrijen, maar toen Lippmann eenmaal besefte dat zijn adviezen inzake Vietnam allemaal in de wind werden geslagen, nam zijn kritiek op het presidentiële beleid zozeer toe dat hij volgens zijn biograaf Steel tot de New Left kon worden gerekend. 'It was perhaps his finest hour', voegde Steel, zelf tot die richting behorend, eraan toe. Lippmann kwam op Johnsons zwarte lijst te staan. Het Witte Huis begon een misselijke campagne om zijn wijsheid en oprechtheid publiekelijk te ondergraven. Harder dan ooit tevoren hamerde Lippmann erop dat Amerika zich niet de politieagent van de wereld moest wanen en dat het in tegenstelling tot wat Johnson leek te denken niet 'omniscient, omnicompetent, or omnipotent' was.

Eind jaren zestig ging Lippmann zich oud voelen, hij stopte met zijn column 'Today and Tomorrow' en in een brief uit 1969 liet hij weten: 'There is no denying to the general truth that life in the modern world is far from being the good life'. De sfeer in Washington DC vond hij verstikkend, ook nadat Nixon de macht van Johnson had overgenomen. Nog slechts weinigen gaf hij zijn vertrouwen – een van hen was Ronald Steel die hem voor zijn biografie vraaggesprekken mocht afnemen en onbeperkt toegang tot Lippmanns archief kreeg. Zes jaar na de dood – in december 1974 – van Amerika's eminente *public philosopher* of oneerbiediger geformuleerd: de *opinion machine* bij uitstek, ver-

scheen *Walter Lippmann and the American Century*.
Een biografie waarover ik menig student een tentamen heb afgenomen omdat de tekortkomingen ervan minstens zo groot zijn als de verdiensten.

XIII

BEHALVE MAXIMILIAAN BLEEF ik vanzelfsprekend Rooseveltiaan – 1982 was een kroonjaar. Een eeuw daarvoor had James Roosevelt immers in zijn dagboek genoteerd dat zijn vrouw Sara na een moeilijke bevalling een *splendid large baby boy* ter wereld had gebracht, Franklin Delano Roosevelt gedoopt. Dat zou Amerika uitbundig vieren. *Time* wijdde een heel nummer aan Roosevelts leven en loopbaan, maar op het omslag stond een zo foeilelijke afbeelding van de president dat ik mij verplicht voelde tegenover de redactie mijn beklag te doen.

In eigen land schreef ik een paar stukken over de 'reus in een rolstoel' en hield hier en daar een voordracht. Eén ervan stak ik op 16 oktober in Middelburg af. De Franklin D. Roosevelt Centennial Commission, uiteraard onder voorzitterschap van Arthur Schlesinger, was op de gedachte gekomen de uitreiking van de *Four Freedoms Awards* voor het eerst buiten de eigen grenzen te doen plaats vinden. Wat leek daarvoor een geschiktere plek dan Zeeland, de provincie waar de Nederlandse oorsprong van de Amerikaanse Roosevelt lag?

Het werd een mooie plechtigheid, waarbij Hare Koninklijke Hoogheid Prinses Juliana als eerste een speciale *award* kreeg. (Die voor Vrijheid van Meningsuiting ging naar Max van der Stoel.) De rij sprekers was lang – ik mocht beginnen met 'A large place in our hearts. Franklin Roosevelt and the Netherlands'.

[79]

Wat eraan vooraf ging was nogal vermakelijk. Schlesinger en zijn kompaan William VandenHeuvel hadden bezwaren tegen mijn rede: hij was te lang en te kritisch van toon. Vooral het laatste, ik plaatste namelijk enkele kanttekeningen bij de stelligheid waarmee Zeeland werd aangeduid als provincie van herkomst van TR (Teddy) en FDR. De heren praatten een kwartier op mij in om deze passages te schrappen. Dat weigerde ik – met een beroep op de Freedom of Speech – want zelfs de knapste genealoog was er niet in geslaagd de precieze herkomst van de Roosevelts te traceren. Zeeland, in het bijzonder Oud-Vossemeer was *make believe*, dorst ik te beweren. Een beetje flauw natuurlijk, want het provinciebestuur van Zeeland deed geweldig zijn best de Roosevelts te claimen.

Ik moet er onmiddellijk aan toevoegen dat ik in mijn koppigheid werd gesteund door de commissaris van de Koningin, Boertien. Die schreef mij later een brief waarin hij zijn bewondering voor mijn houding uitsprak. En VandenHeuvel liet mij een tijdje later het volgende weten: 'Mijn vervelende commentaar in de ogenblikken die aan de ceremonie vooraf gingen moeten u wel hebben gestoord. Maar de bedoeling ervan was iedere spreker evenveel tijd te geven en het geheel in balans te brengen. Misschien hadden wij allebei gelijk. In elk geval heeft u een prachtige speech gehouden, die door het publiek warm werd ontvangen wegens het wetenschappelijk niveau, de welsprekendheid en de humor ervan. Uw bijdrage heeft er ten zeerste toe bijgedragen dat het een ceremonie is geworden die wij ons nog lang zullen heugen'.

Heady stuff, indeed! Vooral omdat ik ook nog een fraaie oorkonde van de staat New York kreeg toegestuurd, eigenhandig gesigneerd door gouverneur Hugh Carey, plus een brief van de rector van Columbia University die mij liet weten dat ik voor een buitenlander een bijzondere kennis van de Verenigde Staten ten toon had gespreid.

De eerste uitreiking van de Awards zou een belangrijk vervolg krijgen. Zeeland en de Amerikanen gingen in 1984 over tot de oprichting van het Roosevelt Study Center, dat bescheiden in de Abdij van Middelburg begon maar onder leiding van de Leidse promovendus C.A. van Minnen spoedig uitgroeide tot een belangrijk kenniscentrum van de Amerikaanse geschiedenis in de twintigste eeuw. Ik stelde voor om prinses Margriet, Roosevelts petekind, te verzoeken beschermvrouwe van het nieuwe instituut te worden – er kwam een positief antwoord. Kort daarna suggereerde ik de Open Universiteit een cursus over het moderne Amerika te maken, met FDR als middelpunt. Men had er wel belangstelling voor – de gedetailleerde uitwerking van mijn plan werd ter hand genomen door Maarten van Rossem en Klaas van Berkel. In het cursusboek zouden zij mij als 'peetvader' van de cursus opvoeren. In de spiegel zag ik vluchtig een tevreden mens.

Terwijl Schulte Nordholt langzaam zijn hartkwaal te boven kwam, zou mijn bescheidenheid – al dan niet vals – nog verder worden beproefd. De Atlantische Commissie nodigde me in het voorjaar van 1983 uit een inleiding te verzorgen op haar Onderwijsconferentie. Als uitgangspunt nam ik het citaat van Jan Blokker over 'anderhalve eeuw desinteresse en vijftig jaar dubieuze eerbied' en probeerde aan te tonen dat hij het gelijk toch niet helemaal aan zijn zijde had. Iemand als Potgieter had in de negentiende eeuw in *De Gids* reeds uitbundig de lof van Amerika gezongen, en van Potgieter wandelde ik in mijn tekst naar wat Nederlanders later over de Nieuwe Wereld hadden gezegd en geschreven. (Ik betreur het dat ik geen melding maakte van het tweedelige pionierswerk van J. van Hinte, *Nederlanders in Amerika. Een studie over landverhuizers en volksplantingen in de 19ᵉ en 20ᵉ eeuw in de Verenigde Staten van Amerika*, dat in 1928 was verschenen.)

Aan het slot van mijn rede betoogde ik: 'Als wij met Potgieter de ogen sluiten, zien wij een "landschap der Vereenigde Staten allerbedrijvigst gestoffeerd", en dan bovenal gestoffeerd met de paradoxen van het menselijk bestaan. Wellicht komen wij dan tot dezelfde slotsom als de Amerikaanse politicoloog Samuel Huntington: "Critici beweren dat Amerika een leugen is omdat het zijn idealen niet heeft nagevolgd. Ze hebben ongelijk: Amerika is een teleurstelling, maar het kan alleen een teleurstelling zijn omdat het tevens hoop belichaamt"'.

De voordracht 'Vrij Europa overzee' verscheen op de voorpagina van het Z-Bijvoegsel van NRC *Handelsblad*. De secretaris van de Commissie schreef mij: 'Ik wil u niet onthouden dat de Minister-President [Lubbers] persoonlijk gevraagd heeft om een exemplaar van uw op papier gestelde inleiding'. Ik omhelsde het CDA maar liep het gevaar wereldberoemd in eigen land te worden. Een land dat in 1980 hoofdschuddend had gezien dat de *nitwit* Ronald Reagan het Witte Huis wist te bemachtigen en dat zich vervolgens geweldig opwond over de stationering van Amerikaanse kruisraketten in Europa.

In augustus 1981 schreef 'Battus' bijvoorbeeld in de NRC dat de zogeheten bescherming die de Verenigde Staten ons boden lelijk begon te knellen: 'U vond Nixon misschien oorlogszuchtig, onverantwoordelijk, gevaarlijk. Och, de goede man was niet eens in staat zijn eigen bedienden onder de duim te houden. Nixon staat tot Reagan als Wilhelm II staat tot Hitler. Daarmee wil ik Reagan niet met Hitler vergelijken, want Nixon is ook geen Wilhelm II'. En de veelgeroemde polemist ging nog een stapje verder. 'Ken ik de publieke opinie? Nee, ik zal de verkeerde mensen spreken. Ben ik de publieke opinie? Nee, ik zal wel een verkeerd mens zijn. Maar mijn ervaring is dat de mensen over Amerika spreken zoals de mensen in Tsjecho-Slowakije en Hongarije over Rusland spreken'. Gelet op deze stemming onder de weldenkenden in de Lage Landen is wel te begrijpen dat de regering-Reagan begin jaren tachtig eindelijk de tactvolle en geslepen ambassadeur John Paul Bremer naar Den Haag stuurde.

Tot verdriet van 'Battus' c.s. zouden de Amerikaanse kiezers de levensgevaarlijke Reagan zelfs nog een tweede termijn gunnen. Samen met Pieter de Vink had ik voor de NOS-televisie op 6 november 1984 van deze herverkiezing als ingehuurde deskundige de hele nacht verslag mogen doen. Het draaiboek heb ik vanzelfsprekend zorgvuldig bewaard, maar wat ik de Nederlandse kijker aan wijsheid schonk kan ik mij met geen mogelijkheid herinneren. Behalve dan dat ik het geweeklaag over de twee kandidaten, Reagan en Mondale, probeerde te relativeren. Immers, bij zowat elke Amerikaanse presidentiële verkiezing is de algemene mening dat het niveau van de kandidaten beneden alle peil is. Carter versus Ford? Vreselijk! Humphrey tegen Nixon? Een verstandig mens bleef thuis. Zelfs in 1960, toen Kennedy zijn opwachting maakte, weigerde men veel verschil tussen hem en Tricky Dick te zien. Nog verder terug in de geschiedenis van hetzelfde laken een pak. Voor de aardigheid blikte ik in '84 een eeuw terug naar wat de vaderlandse pers destijds te melden had over het Amerikaanse verkiezingscircus. Het klonk allemaal zeer vertrouwd.

XIV

"ZOO'N PRESIDENTSVERKIEZING is een kostelijk ding in de Unie!' schreef de correspondent van *Het Vaderland* in de zomer van 1884, 'karakteristiek in de hoogste mate voor de candidaten, de partijen, de pers, de volgelingen en last not least, voor het alles en allen omvattende kind van de V. Staaten, de goddelijke Humbug, die, meer dan ooit in deze dagen wordt aangebeden en dan ook zijn schoonste triomfen viert'.

Een paar weken later, op 26 augustus, filosofeerde dezelfde verslaggever naar aanleiding van de campagne die in volle hevigheid was losgebarsten: 'Als ik mocht, zou ik alle Nederlanders aanraden, die 't ongeluk hebben om te lijden aan het spleen, als ze geld en tijd hebben, zich te haasten, zoo spoedig mogelijk naar de Unie over te steken om de comedie in al haar bijzonderheden te kunnen bijwonen, en ik zou hen durven garanderen voor de meest volkomen genezing' .

Weliswaar was de Amerikaanse politiek al gedurende de hele negentiende eeuw voor ons een bron van vermaak dan wel ergernis en pasten deze opmerkingen in dat patroon, de verkiezingen van 1884 leken toch wel de kroon te spannen wat 'kostelijkheid' betreft. Wat was namelijk het geval? Sinds de Burgeroorlog hadden de Republikeinen telkens weer kans gezien hún kandidaat in het Witte Huis te krijgen. De Democratische partij bleef vereenzelvigd met de zuidelijke verliezers, met slavernij en andere slechtigheden. De wonden van de *War between the States* begonnen na twee decennia evenwel langzaam te helen en de Democraten kregen nieuwe hoop. De partij was grofweg een verbond tussen het blanke Zuiden en de machtige politieke 'machines' in het Noorden, die in ruil voor sociale en economische hulp konden rekenen op de stemmen van de tienduizenden immigranten die de Verenigde Staten binnenstroomden. De bekendste en tegelijk de beruchtste machine was Tammany Hall in New York.

Bij de verkiezingen van '76 was het deze vreemde coalitie al bijna gelukt de winst te grijpen. Maar door gesjoemel in het college van kiesmannen en na ingewikkelde afspraken tussen volksvertegenwoordigers van Noord en Zuid, was het toch weer de *Grand Old Party* die de president had geleverd. Macht corrumpeert, zelden zo hevig als in de periode na de Burgeroorlog en aangezien de Republikeinen de dienst uitmaakten waren zij de grootste zondaars. Federale ambtenaren en politici in Huis en Senaat lieten zich onbekommerd gebruiken als loopjongens van fabrikanten en spoorwegmagnaten. Met het verstrijken van de jaren zeventig nam de algemene onvrede bij velen toe. De Democraten begrepen dat zij zich, wilden zij hun tegenstanders verslaan, moesten opwerpen als de kampioenen van deugdzaamheid en onkreukbaarheid.

Ze gingen daarom op zoek naar een kandidaat voor het presidentschap die de kiezers als een bij uitstek eerlijke man kon worden gepresenteerd. De situatie is enigszins vergelijkbaar met die van 1976: ook toen meenden de Democraten, als reactie op de kuiperijen van Nixon, er verstandig aan te doen een kandidaat te nomineren die zijn handen niet had vuil gemaakt in Washington. De Jimmy Carter van 1884 heette Grover Cleveland. Net als Carter jaren later was Cleveland een nieuwkomer in de nationale politiek, een onbekende grootheid tot en met zijn zalving op de Democratische conventie. Zijn bekentenis dat hij de politieke hoofdstad van het land nog nooit had bezocht, strekte juist tot aanbeveling. In 1880 werd Cleveland tot burgemeester van Buffalo, New York, gekozen en twee jaar later slaagde hij erin het gouverneurschap van de staat te bemachtigen. De man leek voor niemand te koop te zijn, voor Big Business noch voor Tammany Hall. Hij was het die de Democraten dachten nodig te hebben, ook al omdat een flink contingent jonge Republikeinen openlijk verzet aantekende tegen de corruptie in eigen gelederen en dreigde naar de andere kant over te lopen zodra de Democraten een goed alternatief boden.

De Democratische strategie scheen het gewenste effect te hebben: de Republikeinen gingen in meerderheid akkoord met de benoeming van James G. Blaine, van wie algemeen bekend was dat hij zijn niet geringe politieke gaven hoofdzakelijk had gebruikt om zichzelf te verrijken. Democraten en opstandige Republikeinen, de *mugwumps*, zagen in Blaine de klassieke vertegenwoordiger van de 'grofste omkooperij en knoeierij welke in Amerika bekend is', aldus onze vaderlandse correspondenten. Tegenover Blaines ondeugden zou de deugdzaamheid van Cleveland des te stralender afsteken.

Maar was Grover werkelijk zo een voorbeeldig man als de Democraten wilden doen geloven? Hier en daar deden verhalen de ronde over zijn wilde vrijgezellenbestaan, en in juli '84 verscheen in een Republikeinse schandaalcourant in Buffalo een 'Vreselijk verhaal'. Anonieme bronnen onthulden dat Cleveland tien jaar eerder een weduwe had verleid, de vrucht van hun liefde in een weeshuis liet verdwijnen en de weduwe vervolgens zonder pardon aan de kant had gezet.

Binnen enkele dagen sprak Amerika over niets anders dan deze kwalijke affaire, het Democratisch hoofdkwartier was totaal radeloos. Wat te doen? Cleveland stelde zelf voor de 'gehele waarheid' te onthullen, die er volgens hem uit bestond dat hij de weduwe Halpin mogelijk had bevrucht (als een van de vele kandidaten), maar dat hij er, toen de vrouw aan lager wal raakte, nauwlettend op had toegezien dat de bastaard werd gehuisvest bij een moreel hoogstaand gezin. Al klonk dat aandoenlijk, zijn adviseurs achtten het raadzamer er voorlopig het zwijgen toe te doen. Enkele predikanten kregen de delicate taak Clevelands verleden deskundig te beoordelen – na een tijdje luidde hun slotsom dat de presidentskandidaat weliswaar een misstap had begaan maar dat hij zich daarna volledig had gerevancheerd. Uiteraard was lang niet iedereen het met deze bevinding eens, vooral de Republikeinse pers niet die geen genoeg van het schandaal kreeg. Wenste Amerika een hoereerder als eerste burger? Op straat scandeerden tegenstanders: 'Ma, Ma, where's my Pa? Gone to the White House, hahaha!'

Van hun kant beijverden Democratische kranten zich, de corrupte Blaine nog verder door het slijk te halen. Er kwamen brieven te voorschijn met bewijzen dat hij het eigenbelang veel belangrijker vond dan het belang van de staat, of in ieder geval het onderscheid tussen beide niet onderkende. De Nederlandse pers werd het nu echt te machtig. Zag *Het Vaderland* de humor van de campagne nog in, het zeer rooms-katholieke dagblad *De Tijd* – van oudsher al kritisch over Amerikaanse toestanden – oreerde: ''t Is werkelijk vies hoe er van weerszijden in het privaate leven wordt gewroet', terwijl het *Algemeen Handelsblad* vaststelde: 'Een waar onheil voor de Vereenigde Staten is de periodieke presidentsverkiezing. Gedurende een jaar maakt de woedende, verbitterde partijstrijd over de candidaten alle hoofden op hol, nadeel doende aan de gewichtigste belangen, en de wijze waarop de strijd gevoerd wordt, moet duizenden afkerig maken, om ooit iets met het staatkundig leven te doen willen hebben'.
De verzamelde vaderlandse pers was unaniem in haar

oordeel. Hoe was het mogelijk dat de politiek in Amerika zulke dieptepunten kon bereiken? Was dat inherent aan het algemeen kiesrecht? Indien de volkssoevereiniteit tot dit soort excessen leidde was het zaak ons driemaal te bezinnen vooraleer het stelsel hier door te voeren. In 1884 schreef men kennelijk graag over de op hol geslagen Amerikaanse democratie als een verderfelijk voorbeeld voor het eigen Nederland. Verwerping en verbazing wisselden elkaar af. De partijconventies beschreef het *Handelsblad* als een chaotisch en potsierlijk geheel: 'Indien men achthonderd studenten na een ontgroeningspartij verzamelde, om een president van de sociëteit te kiezen, zou men wellicht een flauwe afspiegeling zien van de dwaze opgewondenheid en de opzichtige vertoningen, waarmede de vertegenwoordigers van het grote Amerikaansche volk een der beide candidaat-presidenten kozen'.

Treffend is ook de beschrijving van het ogenblik waarop bij de Republikeinen voor het eerst op de partijbijeenkomst de naam Blaine viel: 'Als door een electrischen schok getroffen, sprongen de honderden op. Men wuifde onstuimig met vlaggen, koperen blaasinstrumenten speelden ontzagwekkende fanfares; de opgewonden vrienden wierpen de hoeden omhoog. In hun geestdrift vingen zij de verkeerden vaak op; hier verscheen een klein hoofd in een grooten hoed; ginds wiebelde een kleine hoed op een groot hoofd; niemand bespeurde het of lachte, en gilde en schreeuwde, en klopte elkander op de schouders, en riep: hoera! hoera! Lang leve Blaine! Lang leve de vriend der Republikeinen!'

Minstens zo opgewonden begroetten de Democraten Grover Cleveland. Het ondergeschoven kind van de nieuwbakken kandidaat temperde de geestdrift enigszins, maar het was een geluk bij een ongeluk dat het schandaal al vroeg in de campagne losbarstte. Na enige tijd raakten de meeste kiezers vermoeid door het gemoraliseer over Grovers pekelzonde. Een nuchtere Amerikaanse commentator merkte snedig op: 'Ons wordt verteld dat de heer Blaine nalatig is geweest in de uitoefening van zijn openbare functies maar verder een voortreffelijk privé-leven leidt, terwijl van de heer Cleveland het omgekeerde wordt beweerd. Daarom moeten wij de heer Cleveland het openbaar ambt laten vervullen waartoe hij zo uitnemend is gekwalificeerd, en de heer Blaine verzoeken zich te bepalen tot zijn privéleven dat hij op zo een bewonderenswaardige wijze heeft ingevuld'.

Blaine begreep dat hij tot het uiterste moest vechten voor zijn kansen en besloot de boer op te gaan met zijn boodschap. De Amerikaanse kiezers kregen hem in levenden lijve te zien. 'Van plaats tot plaats langs de spoorbaan wordt zijn naderende aankomst met nauwkeurige opgaven van tijd door den elektrischen draad gemeld', schreef de correspondent van *Het Vaderland*. Maar hij voegde er aan toe: 'Het Amerikaansche volk houdt het voor ongepast, voor eene vernedering van het ambt, dat een cand.-president persoonlijk er op uitgaat om stemmen te verwerven'. Blaines reislustigheid was een bewijs van zijn twijfel over de afloop van de strijd, terwijl Cleveland rustig thuis bleef om nauwgezet de plichten van het gouverneursambt te vervullen.

Waar Blaine per spoor door het land reisde, probeerde een andere kandidaat het kiezersvolk op de vélocipède te bereiken: Belva Lockwood, een juriste uit New York, aan wier verschijning *Het Algemeen Handelsblad* terecht enige aandacht wijdde. Uit de geschiedenisboeken is zij bijna verdwenen, deze Belva, en dat is eigenlijk jammer want ze was met haar programma bepaald een pionier. Het bevatte slechts één hoofdpunt: de sociale, economische en politieke gelijkstelling van de vrouw aan de man. 'Evenals alle nieuwe zaken was haar partij', zo schreef de krant, 'tot voor korten tijd nog zwak in getal, maar des te sterker was zij zelven in het geloof aan haar missie, vooral nadat een aan alle bevolkingsgroepen gericht en niet zonder tact vervaardigd verkiezingsmanifest uit haar eigen welversneden pen in het geheele land veel vreugde had veroorzaakt, en zich zeven mannen en vijf vrouwen om haar heen schaarden'.

Ondanks deze twaalf trouwe discipelen had Lockwood geen schijn van kans, en met enig mededogen meldde het *Handelsblad* dat Belva pijnlijk werd belasterd: 'Men maakte aanmerkingen op haar vuurrode kousen; kwaadsprekers beweerden dat haar *bonnet* uit de tijd der Macabeeërs afkomstig was, en zelfs het haar van de dappere candidaat werd van onechtheid beschuldigd. Of dat het geverfd was'.

Het leeuwendeel van de vaderlandse kolommen bleef toebedeeld aan Cleveland en Blaine en de streken van hun medestanders. 'Zelfs kleine bengels doen aan politiek', schreef een correspondent, hoewel de ventjes de naam van de kandidaten nauwelijks konden uitspreken. Politiek werd de Amerikanen klaarblijkelijk met de paplepel ingegoten, en als ze volwassen werden vertoonden ze een passie die onze verslaggevers verschrikte.

Wedden op de afloop was minstens zo verwerpelijk als het 'lottospel in Italië en het hazardspel in Mexico'. De vraag die ons destijds occupeerde was waarom precies Amerikanen de verkiezingen met zoveel hartstocht volgden, de straat opgingen, parades organiseerden, vuurwerk afstaken om de kandidaat van hun keuze te begroeten en dag en nacht over niets anders spraken.

We begrepen het vooral niet omdat er nauwelijks verschil leek te bestaan tussen de programma's van de twee grote partijen. Was de campagne een schijngevecht, een aantrekkelijke gelegenheid om zich te buiten te gaan? De *Arnhemsche Courant* dacht dat de schandalen in het middelpunt van de aandacht stonden juist wegens dat gebrek aan fundamentele meningsverschillen – en ongelijk had ze niet.

Om uiteenlopende redenen hoopte men hier dat de Democraten ditmaal zouden winnen. Vooral de liberalen hier hadden weinig op met de GOP die protectionisme in de banieren voerde, een economisch beleid dat de wereldhandel grote schade zou toebrengen. Blaine was daarvan de belichaming en vandaar dat het *Handelsblad* concludeerde: 'Wij kunnen zeggen dat wij niet hopen dat hij gekozen wordt. We verwachten meer van de Democraten'.

Aan het einde van de campagne deed Blaine zichzelf de das om. Hij verzuimde zich te distantiëren van een opmerking van een op de Republikeinse conventie aanwezige dominee die had uitgeroepen dat de Democraten de partij waren en bleven van *Rum, Romanism and Rebellion*. Vooral de Ieren in New York namen deze beschuldiging hoog op. Inderdaad, ze stemden doorgaans voor de Democraten maar Blaine had hen er bijna toe verleid ditmaal een andere keuze te maken omdat hij voortdurend buitengewoon lelijke dingen over de Britten zei. De nieuwe aantijging bracht hen echter weer tot hun positieven, met als gevolg dat Blaine de kiesmannen van de deelstaat verspeelde en daardoor vrijwel kansloos werd.

Uiteindelijk bedroeg het landelijk verschil tussen beide kampen nog geen twintigduizend stemmen. Nederland had wel vrede met dit resultaat, maar of Cleveland erin zou slagen de echt Amerikaanse corruptie werkelijk terug te dringen bleef een open vraag, gelet op het oude adagium 'To the victor belong the spoils'. Aangezien de Democraten al vijfentwintig jaar in de politieke woestijn hadden vertoefd, zouden zij naar onze inschatting als 'begerige jakhalzen' hun prooi aanvallen. Cleveland moest wel heel sterk in de schoenen staan om hieraan weerstand te bieden. (Naar later bleek zou de nieuwe president zijn uiterste best doen een behoorlijk federaal bestuursapparaat op te bouwen.)

Het Algemeen Handelsblad poneerde ten slotte: 'Er is zeker geen hoogere positie voor een gewoon burger in geheel de wereld te winnen dan die van president der Vereenigde Staten', maar de manier waarop de president werd geselecteerd, deed verstandige Nederlanders vaak twijfelen aan het welslagen van het grote Amerikaanse experiment – in de negentiende én in de twintigste eeuw. In 1984 was de twijfel minstens zo groot als een eeuw tevoren.

XV

IN DE TELEVISIESTUDIO kon ik dit alles vanzelfsprekend niet kwijt. Daar moest alles kort en krachtig zijn. Presentator Pieter de Vink fungeerde als aangever die deed alsof hij van de hele Amerikaanse verkiezingen niets begreep, en ik was dan de Grote Voorlichter. We speelden onze rol geloof ik wel redelijk, al kreeg ik van de regisseur te horen dat ik mijn bovenlichaam te veel bewoog teneinde mijn woorden kracht bij te zetten. Voor de camera zit de spreker stil, met de handen gevouwen – iets wat bijdraagt aan de grote saaiheid van veel uitzendingen. Desondanks werd ik daarna een veel gevraagd spreker. Alle omroepen heb ik in de loop der tijd van binnen gezien, van de Wereldomroep tot en met de Evangelische Omroep.

De zogeheten voorgesprekken vond ik onnodig, haast net zo erg als geschminkt te worden door beeldige jongedames alvorens de camera te confronteren. Een zwager van mij heeft uitzendingen waarin ik de gast was, op de band opgenomen. Ik heb ze nooit willen zien. De reis van Leiden naar Hilversum kostte al gauw een uur heen en een uur terug. In de taxi moest je losjes converseren over de hond of de kinderen van de chauffeur, met als gevolg dat ik meestal doodmoe de studio betrad. Als beloning kreeg je een fles wijn of een boekenbon van vijfentwintig gulden. Bij de media ging men ervan uit dat je op afroep beschikbaar was. College? Maar meneer Lammers, dan laat u dat toch schieten? Bovendien leefde men in de vreemde veronderstelling dat ik als deskundige overal iets van wist – over de gekste onderwerpen uit het Amerikaanse heden (zelden was het verleden in het geding) werd mij om een mening gevraagd.

Het was leuk voor vrouw en kinderen – zelfs in mijn woonplaats herkenden de slager en de bakker mij – maar op den duur begon het toch behoorlijk te vervelen. Ik kreeg een hekel aan mijn nervositeit, aan mijn eigen stem en na in 1988 voor AVRO-TROS-VERONICA nogmaals een hele nacht te hebben opgezeten om voor de televisie de nederlaag van de arme Michael Dukakis van commentaar te voorzien, ben ik uit medialand geëmigreerd.

Nederland mocht vervolgens genieten van Maarten van Rossem, die ogenblikkelijk de pers haalde toen hij mevrouw Reagan bij de installatie van George Bush de Eerste een 'doodziek vogeltje' noemde. Hij was stukken beter dan ik, met zijn donkere coltrui, dikke haardos en eeuwige sigaret. Per definitie in de contramine. Toen de media zich in de jaren negentig massaal op Amerika en de presidentsverkiezingen stortten, doken uit alle hoeken en gaten van het vaderland andere deskundigen op die zich maar al te graag op de beeldbuis vertoonden en commentaar gaven waar ik dikwijls niets van snapte. In het bijzonder hun collectieve voorkeur voor Bill Clinton begon danig op mijn zenuwen te werken, maar ik weigerde mijn stem te verheffen. Er waren andere, naar mijn mening belangrijker zaken aan de orde. Bovendien houd ik niet van wijn en de boekenbonnen stapelden zich op.

XVI

OP 23 SEPTEMBER HAD Schulte Nordholt zijn afscheidsrede gehouden – zijn gezondheid liet hem geen andere keuze. Er bleef die dag in het Groot Auditorium aan het Leidse Rapenburg geen plaats onbezet. Ik zat op rij vijf en probeerde toen en later de kern van de man te vinden die twintig jaar eerder tot lector was benoemd en sinds 1966 het hoogleraarschap in de Geschiedenis en Cultuur van Noord-Amerika had bekleed.

In zijn *farewell address* sprak Schulte Nordholt over Woodrow Wilson, niet over Wilson als president van de Verenigde Staten maar over de jongeman die in zijn jeugd geschiedenis had gestudeerd en in zijn werk en dagelijkse leven getuigde van een poëtische gevoeligheid.

Het gaf de scheidende hoogleraar de kans om zijn eigen visie op de historische wetenschap te ontvouwen. Wilson had een grondige hekel aan de nieuwe vorm van geschiedschrijving die in de Verenigde Staten in het laatste kwart van de negentiende eeuw opgeld deed. Men moest de archieven in, kwantitatief onderzoek verrichten, feitelijk en neutraal zijn – allemaal zaken die Woodrow de romanticus en bewonderaar van Wordsworth volstrekt niet zinden. Hoe literair mag de historische wetenschap zijn? vroeg Schulte Nordholt zich naar aanleiding hiervan af. Hij was het ten dele met Wilson eens: een historicus moest in zijn werk gebruik maken van de verbeeldingskracht – maar de toekomstige president was er wellicht te ver in gegaan, en zijn historische werk, bijvoorbeeld *A short history of the United States*, vertoonde tal van tekortkomingen. Naast dienaar van het woord werd Wilson een man van de daad. Eerst als president van Princeton University, vervolgens in 1910 als gouverneur van de deelstaat New Jersey, waarna hij twee jaar later werd gebombardeerd tot kandidaat van de Democraten voor het presidentschap van de VS.

Wat Schulte Nordholt betreft was het de vraag of Wilson wel geschikt was voor het hoogste ambt: 'Misschien is een mens met een "poetical sensibility" toch beter af in de wetenschap dan in de politiek [...] Het is zijn grootheid en tragiek geweest dat hij een idealist was met het hart van een dichter, alsof die twee dingen automatisch bij elkaar horen'. In menig opzicht was Wilson de belichaming van het naar de moderniteit doorbrekende Amerika, de verpersoonlijking van 'het land tussen droom en daad, God en dollar, idealisme en materialisme', en net als Wilson een 'wakkere slaapwandelaar' in de buitenlandse politiek.

Op dat dualisme, op die misschien typisch Amerikaanse tweeslachtigheid had Schulte Nordholt telkens de nadruk gelegd, te beginnen bij het boek waarmee hij in 1956 als amerikanist debuteerde, *Het volk dat in duisternis wandelt. De geschiedenis van de negers in Amerika*. Hij was toen leraar aan het Rijnlands Lyceum in Wassenaar en had door enkele dichtbundels reeds bekendheid in literaire kring verworven. Zo werd

Levend landschap (1950) bekroond met de Van der Hoogtprijs. Bovendien kwam hij tijdens de jaren vijftig elke zomer met een vijftal bevriende protestantse dichters bijeen in het Oosterbeekse conferentieoord De Pietersberg. Als de erfgenamen van Martinus Nijhoff werkten zij er, in opdracht van de Hervormde Synode, aan een nieuwe psalmberijming en, later, aan het nieuwe *Liedboek voor de kerken*. Voor Schulte Nordholt was dit van wezenlijk belang voor zijn weg tot de Amerikaanse historie. Hij ontleende immers veel aan de inzichten van de befaamde Groningse godsdiensthistoricus G. van der Leeuw, in het bijzonder aan diens *Beknopte geschiedenis van het kerklied* uit 1939. Dat boek bevat een hoofdstuk over de schoonheid en betekenis van de Amerikaanse *negro spirituals* – volgens Van der Leeuw hield hun 'tot de diepste ziel doordringende, beklemmende bekoring' een belofte in voor de toekomst van het kerklied in Europa. Als men Schulte Nordholt later vroeg naar de oorsprong van zijn belangstelling voor de Verenigde Staten, antwoordde hij dikwijls: 'Ik geloof echt dat het met de *spirituals* is begonnen'. In protestants Nederland begon de opmars van deze liederen bij Van der Leeuw.

Er waren nog anderen aan wie Schulte Nordholt zijn ontdekking van Amerika te danken had. De student geschiedenis aan de Universiteit van Amsterdam (1945-'49) kwam in contact met Jacques Presser, die bij zijn benoeming tot lector reeds had georeerd over 'Beeldbaarheid en beeldvorming in de jongste Amerikaanse historie'. Pressers mede door de Tweede Wereldoorlog gevoede belangstelling voor de Verenigde Staten was evident, getuige zijn eerder genoemde overzichtswerk *Amerika. Van kolonie tot wereldmacht*, dat in het jaar van Schulte Nordholts afstuderen verscheen. Toen Presser werd gevraagd een artikel te leveren aan het vriendenboek voor Jan Romein koos hij als onderwerp de bijdragen van zwarte historici aan de Amerikaanse geschiedschrijving. Toch betitelde Schulte Nordholt Romein als 'mijn leermeester', om niet geheel duidelijke redenen. Weliswaar had hij een assistentschap bij Romein vervuld en een doctoraalwerkcollege gelopen – als volgroeid historicus zou Schulte Nordholt toch veel meer verwantschap met de meesterverteller Presser vertonen.

Als een van zijn bijvakken koos de jonge student kunstgeschiedenis. Op de flaptekst van *Levend landschap* wordt hij zelfs geïntroduceerd als cultuur- en godsdiensthistoricus, een aanduiding die voortvloeide uit het onderzoek waaraan Schulte Nordholt meteen na het behalen van de doctoraalbul was begonnen, onder toezicht van de (wegens zijn oorlogsverleden) omstreden classicus David Cohen. Reeds op 18 december resulteerde dat in een dissertatie over paradijsvoorstellingen in de klassieke oudheid, *De tuin der Hesperiden*. De omvang ervan is betrekkelijk gering, niet meer dan 128 bladzijden, en het boek vertoont begrijpelijk genoeg enige sporen van de haast waarmee het was geschreven. Een wel heel merkwaardig erratum is dat het titelblad 's-Gravenhage als zijn geboorteplaats vermeldt.

Schulte Nordholt kwam uit Zwolle en bracht zijn jeugd door in het nabijgelegen Wezep. Op het grensgebied van Salland en de Veluwe had hij zijn uitbundige liefde voor de natuur opgevat en was, naar eigen zeggen, ook zijn karakter gevormd. Fatalisme en een grondig besef van het menselijk tekort nam hij uit zijn geboortestreek mee naar elders – tegelijk waren het de eigenschappen die hij herkende in Abraham Lincoln, de held van zijn jeugd over wie hij zich voornam ooit een boek te schrijven. Op de vraag hoe en waarom hij dichter was geworden, verwees hij naar de eerste schoonheidservaring in de tweede klas van de lagere school bij deze regels van psalm 68: 'gelijk een duif door 't zilverwit/ en 't goud dat op haar veed'ren zit'. In *Literama*, het literaire programma van de NCRV-radio, zei hij daarover in december 1983: 'Dat vond ik zo mooi. Ik weet niet waarom ik het zo mooi vond, maar achteraf denk ik: Thomas van Aquino heeft het ook al gezegd: schoonheid is wat blinkt en glinstert, dus dat zal het wel zijn geweest toen ik zes jaar was'. Schulte Nordholt herinnerde zich de kleine Jan Willem die in zijn overmoed besloot de hele psalm uit het hoofd te leren en 'tot stomme verbazing van de juf' alle strofen achter elkaar voordroeg.

Met het memoriseren van de psalmen begon de training van een geheugen dat Schulte Nordholt in staat stelde bij elke gelegenheid toepasselijke verzen te citeren. Het was bovendien een onmisbaar hulpmiddel bij zijn werk als historicus. Als historicus reconstrueerde hij tevens zijn eigen verleden. Daarover was hij minder mededeelzaam dan men gelet op een dikke map met vraaggesprekken zou verwachten. In *Vrij Nederland* liet hij de journaliste Bibeb in 1962 weten: 'In het oosten van het land zijn de mensen terughoudend. Ik ben dus niet zo openhartig. Ik kan niet gauw zeggen wat mij innerlijk beweegt'. Om zijn diepste gevoelens te uiten was er evenwel de poëzie, de poëzie waar hij zijn eerste bekendheid aan had te danken en die al vanaf zijn vroege jeugd een uitlaatklep was.

De meeste vrienden en kennissen getuigen van het opgeruimde en optimistische karakter van de dichter/ historicus, maar tegen het einde van zijn leven zou hij toch zelf beweren: 'Ik houd erg van dingen en kan intens genieten van schoonheid, van natuur of van schilderkunst. Daarbij heb ik mijn hele leven het besef gehad dat er iets mis is. Toen ik nog een jongen was dacht ik al: "Waar gaat het in deze wereld om? Om het lijden"'. Naar de bron van zijn melancholische aard, zijn besef van de *sadness of things* kan men slechts gissen. Zeker, hij werd opgevoed in het gereformeerde geloof, maar zijn ouders waren allerminst strikt in de leer, zo herinnerde hij zich – en op zijn vijfentwintigste trad hij toe tot de Hervormde Kerk.

Met enige schroom zou men kunnen wijzen op de echtscheiding van zijn ouders in 1932, een traumatische gebeurtenis voor een jongen van twaalf jaar. Over zijn vader zou Schulte Nordholt zich nadien in zijn gedichten nog slechts sporadisch uiten, bijvoorbeeld 'In memoriam patris' dat in *Levend landschap* is te vinden. Op het daagse vlak betekende het uiteengaan van de ouders dat Wims oudste broer Henk de vaderrol in het gezin overnam. Op tal van momenten zou deze een doorslaggevende rol in het leven van Jan Willem spelen. Niet voor niets droeg hij *De tuin der Hesperiden* dankbaar aan Henk op, een 'vader en een broeder, een hartsvriend en leidsman in alle dingen'.

De Tweede Wereldoorlog drukte een onuitwisbaar stempel op Schulte Nordholt. Begin 1942 werd hij, samen met zijn tweelingbroer Johan, door de bezetters opgepakt wegens het verspreiden van de eerste nummers van *Vrij Nederland*. Het Deutsches Landesgericht veroordeelde hem tot een jaar gevangenisstraf, waarvan hij een deel uitzat in het zogenoemde Oranjehotel in Scheveningen, de overige maanden in diverse gevangenissen in het Roergebied. Op 5 december 1942 kwam hij weer vrij en hij dook in het oosten van het vaderland onder. Tot de capitulatie deed hij naar eigen zeggen 'hier en daar wat illegaal werk' of luisterde naar de radio om Churchill en Franklin Roosevelt te horen spreken. Zijn verblijf in de cel vergat hij evenwel nooit meer. Jaren later hoorde hij in angstdromen nog steeds het geschreeuw van zijn bewakers. Geestelijk probeerde hij overeind te blijven door in Scheveningen gedichten te schrijven – vijftien ervan verschenen in de bundel *Het bloeiend steen* (1943), onder het pseudoniem W.S. Noordhout als deel 9 in de clandestiene Schildpadreeks en voorzien van een voorwoord door Gerrit Kamphuis.

Hij droeg de gedichten op aan zijn broer en lotgenoot Johan. Hoewel Schulte Nordholt de bundel lang nadien van onvoldoende niveau vond om haar op te nemen in zijn *Verzamelde gedichten* (1988) is hier een jongeman aan het woord – pas kort tevoren had hij zijn diploma aan het Christelijk Lyceum in Zwolle behaald – die in zijn cel smacht naar alles wat hij verloren dacht te hebben: zijn thuis en toekomst, de natuur. Vrijheid.

Over de oorlog deed hij er liever het zwijgen toe, een enkele gelegenheid daargelaten. Zo hield hij in 1985 in Zwolle ter viering van vijfenveertig jaar bevrijding een rede waarin hij afstand nam van een nieuwe generatie historici die in twijfel trokken of het tussen 1940 en '45 wel om goed en fout was gegaan, om zwart en wit. Tegelijk verwierp hij de gedachte dat dankbaarheid jegens de doden vereiste dat men in het streven naar een betere wereld voortdurend in verzet moest blijven tegen een falende democratie: 'Laten we liever dankbaar zijn dat we na de absolute oorlog die we moesten voeren mogen genieten van een betrekkelijke vrede'. Democratie was een kwestie van schipperen, van water bij de wijn doen, van het grote compromis. Daarvoor wenste hij te pleiten, voor de 'beetje belachelijke, dierbare democratie' waarin ieder recht had op de eigen fouten.

In Schulte Nordholts leven en werk waren de oorlog en de herinnering aan zijn opsluiting voortdurend, meest stilzwijgend als grondtoon aanwezig. Zijn karakteristieke geestdrift vloeide er wellicht uit voort, zijn vaste wil geen minuut van het vrije leven ongebruikt te laten. In 1960 schreef hij dat een eerdere generatie overwegend anti-Engels was geweest wegens de Boerenoorlog en 'al die andere oorlogen tegen de Engelsen die wij altijd maar wonnen'. Híj rekende zich echter tot het geslacht dat 'in de oorlog in diepste bewondering heeft gezien, hoe één land, en één land alleen, in de donkerste tijd van 1940 en 1941 standhield tegen de bandieten uit het Oosten', en hij voegde eraan toe: 'Sindsdien ben ik in het hart Anglophiel'. De oorlog droeg evenzeer bij aan zijn betrokkenheid op de Verenigde Staten, niet alleen het land van Lincoln, nu ook dat van FDR, wiens onsterfelijke verdienste het volgens hem was geweest Europa te redden uit Hitlers worggreep.

Oorlog, Presser en spirituals: deze drie-eenheid zou hem op het spoor van Amerika zetten, waarbij puur toeval evenzeer een rol speelde. Als leraar geschiedenis in Wassenaar hoorde hij dat het Amerikaanse ministerie van Buitenlandse Zaken beurzen ter beschikking van jonge Europese wetenschappers stelde. (De Hobby Club van Leonard de Vries was hem een paar jaar vóór.) Mede op voorspraak van Presser kwam Schulte Nordholt hoog op de lijst van kandidaten te staan en na verlof van de schoolleiding te hebben gekregen, reisde hij in 1954 naar Nashville, Tennessee, om op de Vanderbilt University colleges te volgen en onderzoek te verrichten. Bovendien voerde hij correspondentie en kwam in direct contact met gerenommeerde historici als Herbert Aptheker (wiens werk door Presser bijzonder werd gewaardeerd) en die andere pionier van *Black Studies* John Hope Franklin. Met schriften vol aantekeningen en plaksels kwam hij in 1955 weer thuis. Nog geen twee jaar later was zijn boek gereed.

Het rassenprobleem had schrijvende bezoekers aan de Verenigde Staten reeds vanaf de negentiende eeuw geïnspireerd tot min of meer diepgaande beschouwingen, maar als historicus was Schulte Nordholt een pionier in Europa op dit gebied. Het was niet de enige reden waarom *Het volk dat in duisternis wandelt* een enthousiast onthaal van de recensenten kreeg, de dichter bleek ook een bezield proza te kunnen schrijven. De biografie van Lincoln uit 1959 bevestigde zijn talenten en zou drie jaar later – in de tussentijd publiceerde hij onder andere *Een lichaam van aarde en licht*, een bundel die werd bekroond met de poëzieprijs van de stad Amsterdam – resulteren in zijn aanstelling te Leiden als lector. Pas een jaar later ging hij daar aan de slag aangezien hij kort voor zijn benoeming een uitnodiging had aanvaard om op Brooklyn College John Hope Franklin te vervangen als gastdocent.

Ditmaal vergezeld door vrouw en kinderen stak Schulte Nordholt in augustus 1962 voor de tweede keer de Oceaan over, na nog eerst met Bibeb voor *Vrij Nederland* te hebben gesproken. Door zijn dubbeltalent was hij immers een markante verschijning in cultureel Nederland geworden. De schets die hij van Albert Verwey in een bloemlezing van diens gedichten had gegeven, is haast een zelfportret: 'Zijn geest was een verzoenende, een verdraagzame, een typisch-Hollandse. Dat betekende ook dat hij niet in delen kon leven, hier de geleerde, daar de dichter, hier de huisvader, daar de bevlogene, maar dat alles in elkaar moest sluiten'.

Terug in Nederland kreeg Wim al gauw bekendheid door zijn hoorcolleges. Achter de katheder was hij werkelijk in zijn element, en met zijn brede gebaren, grote eruditie en beeldende taal wist hij in een handomdraai de zaal te boeien. Hij sprak liever zelf dan dat hij luisterde: tijdens werkcolleges kon hij soms ternauwernood zijn ongeduld verbergen als een student het zoveelste onsamenhangende praatje hield. Tegen Bibeb had hij verklaard: 'Iets te maken is het meest fantastische dat er bestaat'. Met maken bedoelde hij schrijven – schrijven deed Schulte Nordholt als hij geen college gaf hartstochtelijk. Hij publiceerde in nette historische tijdschriften, maar ook in *Maatstaf, Wending, Hervormd Nederland* enzovoort. Vooral het dagblad *Trouw* bood hem de gelegenheid om met tal van onderwerpen een nog groter publiek te bereiken. Naar dat grote publiek was Schulte Nordholt voortdurend op zoek, hij voelde de roeping zoveel mogelijk anderen te laten delen in zijn onuitputtelijke kennis.

'De eigen taak en inbreng van de historicus is naar mijn geloof en levensinstelling de zingevende vertelling', verklaarde hij eens. In vakkringen deelde lang niet iedereen dat standpunt – geschiedenis moest (wederom!) échte wetenschap worden en daarin was voor de 'zingevende vertelling' toch eigenlijk geen plaats. Maar Wim liet zich niet van de wijs brengen door de kwantificerende nieuwlichters. Ik had hem zien werken aan *In de schaduw van een groot licht*, waarin dominee King uiteraard de show stal. In de inleiding stelde hij nog een derde deel van de 'negerrevolutie' in het vooruitzicht, over Malcolm x en de rassenrellen in de grote steden. Het zou evenwel nooit verschijnen – andere onderwerpen kregen zijn voorkeur. Hij voelde in toenemende mate de machteloosheid van de historicus tegenover de eigentijdse geschiedenis, vooral als die geschiedenis geen al te fraaie was.

De boeken die hij had geschreven en nog zou schrijven waren, zoals hij meermaals opmerkte, het gevolg van een creatieve uitbarsting, van een inblazing der muzen. Natuurlijk ging er zorgvuldig onderzoek aan vooraf, maar was dat eenmaal afgerond, begon hij als een bezetene te schrijven, eerst met de hand in zijn mooie regelmatige handschrift, daarna – op aandringen van de uitgever – op de typemachine. Midden jaren tachtig verbaasde hij me door de zegeningen van de computer te bezingen.

In de wereld der geleerden bewoog Schulte Nordholt zich gemakkelijk, hij legde contact met vakgenoten in Nederland en daarbuiten, bezocht nu en dan een congres, maar hield het wetenschappelijk bedrijf anderszins op veilige afstand. Immers, hij was behalve historicus dichter, en wat dichters volgens hem vooral niet moesten doen was vergaderen en besturen. Zijn afkeer van de vergadercultuur stak hij, zoals eerder opgemerkt, niet onder stoelen of banken. Hij wekte graag de indruk een tamelijk onhandige kamergeleerde te zijn, met opzet, in de hoop dat men hem niet zou lastigvallen met zaken die hij van nul en generlei waarde achtte. Andere belangen behartigde hij voortvarend, óók die van hemzelf. In de media groeide hij uit tot Mr. America – er hoefde in de Verenigde Staten maar iets te gebeuren of de journalisten stonden in Wassenaar bij hem op de stoep.

Op zijn beurt gebruikte Schulte Nordholt de media om de aandacht op zijn werk te vestigen. Hij praatte er in zijn studeerkamer thuis, waar de portretten van Lincoln en Roosevelt aan de wand hingen, veel over, nu eens met een zekere professorale plechtstatigheid – dan weer, zoals menig verslaggever noteerde, met het elan van de bevlogen literator. In de dagelijkse omgang verschilde hij aanzienlijk van de man die zich op papier een fatalist noemde en zei de dingen te nemen zoals ze kwamen. De dingen zette hij juist naar zijn hand. Zoals Bibeb al in 1962 vermoedde, kon hij inderdaad geweldig boos worden. Hij vertrouwde haar toe dat hij ruzies daarom uit de weg ging: 'Ik word zo emotioneel, dat doe ik niet'. De polemiek trok hem evenmin aan, tenzij er al te onzinnige dingen over de oorlog en Amerika werden gezegd. Maar figuren als Nixon stemden ook hem droef. Zo schreef hij op een prentbriefkaart uit de Roosevelt Library in Hyde Park: 'Wij voelen ons één met de natie/ ja, Rooseveltiaan,/ nu wij bij de laatste statie der via sacra staan. / Die zon is ondergegaan,/ de nacht van Nixon brak aan'.

Desondanks bleef hij Amerika, de zegeningen en beproevingen ervan, steeds met sympathie gadeslaan, hetgeen hij nog eens krachtig illustreerde toen de Verenigde Staten in 1976 hun tweehonderdjarig bestaan herdachten. In Nederland werd een Bicentennial Committee opgericht – Schulte Nordholt aanvaardde het voorzitterschap van de subcommissie die een tentoonstelling ging voorbereiden over Nederland en de Verenigde Staten ten tijde van de Amerikaanse revolutie. 'Ik heb zelden werk met meer plezier gedaan', merkte hij erover op. Verwonderlijk is dat niet. De expositie die onder de titel *The Dutch Republic in the days of John Adams* langs verschillende Amerikaanse steden zou reizen, lag op het snijpunt van zijn historische en kunsthistorische belangstelling, getuigde van de maatschappelijke relevantie van zijn vak en bood hem daarenboven de gelegenheid contact te leggen met een wijdere kring dan die van dichters en historici – want ook zakenlieden en diplomaten bleken in het Amerikaanse jubileum geïnteresseerd. Hij vergat er even zijn afkeer van vergaderen voor.

De grootste vreugde beleefde Schulte Nordholt aan zijn ontdekking van de eerste Amerikaanse gezant in Nederland en tweede president van de Verenigde Staten, John Adams. In het bijzonder diens *delirium scribens* en zeer uitvoerige briefwisseling inspireerden hem tot nader onderzoek naar de receptie alhier van de door Adams beleden ideeën en idealen. De neerslag van zijn speurtocht door de archieven werd het boek *Voorbeeld in de verte. De invloed van de Amerikaanse Revolutie op Nederland* (1979), een hoogtepunt in zijn oeuvre.

In de dichtkunst betitelde Schulte Nordholt zich eens als een gelegenheidsdichter, een 'poëtische hond van Pavlov', die steeds vaker een concrete gebeurtenis nodig had om de pen ter hand te nemen. In zekere zin was hij eveneens een gelegenheidshistoricus. Met *Voorbeeld in de verte* preludeerde hij op een nieuwe herdenking, die in 1982 van tweehonderd jaar Nederland-Amerikaanse betrekkingen, een herdenking met Schulte Nordholt als grote animator. Dat hij op het congres in Amsterdam een voordracht hield over Nederlandse reizigers naar de Verenigde Staten lag bijna voor de hand: hij was zelf een verwoed reiziger. Ging hij naar Engeland, de 'tuin in het water', dan verdiepte hij zich maanden tevoren in de historie van kerken, kathedralen en monumenten die op zijn programma stonden. Vervolgens liet hij de thuisblijvers meedelen in zijn verheven bevindingen, want hij verfoeide het vulgaire en triviale. Vakantie was volgens hem een groeiproces, 'een teelt, tenminste de mijne. De romantische idee van op de bonnefooi voorwaarts is onzin'. Toeristen die kerken en musea werden in- en uitgejaagd vond hij 'ongelukkigen', hetgeen wel erg calvinistisch klinkt.

Soms had Wim de neiging anderen met zijn kennis te overbluffen en leek hij van mening dat iedereen geïnteresseerd moest zijn in wat hém toevallig interesseerde. Maar met het klimmen der jaren verdween de behoefte om te bewijzen dat hij meer wist dan alle ongelukkigen tezamen genomen. Zijn reislust bleef onstuitbaar en vond ook zijn weerslag in de poëzie. Een bundel als *Contrafacten* (1974) is er een fraai voorbeeld van. De hierin opgenomen gedichten waren geschreven na tochten door Europa – net zo graag vereeuwigde hij een graftombe in het ingetogen Katwijk of zwanen bij de IJssel in Kampen, een 'kleine stad in Holland, zo gewoon, / en zo onwezenlijk doorschijnend schoon'. Treffende gedichten schreef hij uit ontroering over mensen die hem lief waren, zoals 'In memoriam Koningin Wilhelmina', 'Karin is dood' en 'Deze wereld is de ware niet', waarin hij zijn beste vriend Jan Wit herdacht.

In 1990 zou in het *Nieuw Wereldtijdschrift* een artikel van Herman de Coninck verschijnen, dat ik Wim ter lezing aanbood. Hij was er wel gelukkig mee. De Coninck zei zich erover te verbazen dat Nederlandse recensenten Schulte Nordholts *Verzamelde gedichten* met oorverdovende stilte hadden begroet. Zijn poëzie vertoonde stellig tekortkomingen, vond De Coninck, 'hij heeft misschien een iets te gerede melancholie beschikbaar, iets te veel versificatorische degelijkheid' en een paar keer moraliseerde hij tamelijk melig. Maar De Coninck was niettemin van oordeel dat zich hier een dichter van formaat manifesteerde, een van de zogeheten tweederangsdichters voor wie men allicht een zwak had en wier aanwezigheid onmisbaar in de Nederlandse literatuur is, 'zoals je in de Ronde van Frankrijk nu eenmaal een tweede en een derde en een vierde nodig hebt'. Schulte Nordholt kon zich wel vinden in dit oordeel en had al eerder over zichzelf gezegd: 'Langzamerhand heb ik de overtuiging gekregen dat ik te weinig gedúrfd heb in mijn poëzie'. Een overtuiging waaraan zijn persoonlijke kennismaking met Leo Vroman begin jaren zestig niet vreemd zal zijn geweest.

De *minor poet* kwam steeds meer in de verdrukking door de historicus, en toch kreeg hij soms de smaak weer te pakken. In *Aan mijn tongval te horen* uit 1992 zijn z'n laatste gedichten opgenomen. 'Zeventig' schetst hem 'als een schepsel dat het scheppend licht bescheen, / met niets dan liefde om zich heen', maar getuigt evengoed van zijn angsten en twijfel over God, over leven en dood, over zijn eigen afscheid van de wereld.

XVII

VAN DIT ALLES was in september 1983 weinig te merken. Wim had fysiek een harde klap gekregen, maar mentaal veerde hij spoedig op door zijn nieuwe passie voor Wilson. Hij zou bijna zeven jaar aan de biografie *Woodrow Wilson. Een leven voor de wereldvrede* werken.

Op doktersvoorschrift ondernam hij dagelijks een stevige wandeling door de duinen, 's middags knapte hij braaf een uiltje. Als we hem thuis bezochten mocht er natuurlijk niet worden gerookt, daar zag Dieuwertje nauwlettend op toe. Maar de onrust bleef. 'Na een week niets doen, word ik zo vervelend van zinloosheid, dat ik denk: waarom besta ik eigenlijk?'liet hij zich ontvallen. In dit opzicht had hij wel iets weg van Hendrik Willem van Loon. Soms moest hij antwoord geven op de bizarre vraag of het in Nederland wel zin had, Amerikaanse geschiedenis te bedrijven. Telden de Verenigde Staten al niet meer dan genoeg historici? Henk

Wesseling zei tijdens de plechtigheid van '83 in zijn dankwoord aan Schulte Nordholt: 'Van de, naar ik meen, 50.000 professionele historici in Amerika bestudeert ruim de helft de geschiedenis van Amerika. Dat zijn er dus al zo'n 25.000. Wat kan dan nog de taak zijn van de enkele historicus in Nederland die, ver van zijn object, hetzelfde doet?' Die opmerking was uiteraard raillerend bedoeld, maar toch.

Mogelijk dachten andere gewichtige vaderlandse intellectuelen en academici in dezelfde richting, want net als in Amsterdam ontstond in Leiden over Schulte Nordholts opvolging flink wat beroering. Er moest nog steeds worden bezuinigd van de bestuurders (hun mantra), en het lag voor de hand dat een vak als Amerikaanse geschiedenis geslachtofferd zou worden. Een gedachte die moeilijk kan worden toegeschreven aan het geringe belang van de Verenigde Staten in de wereldgeschiedenis.

In Leiden beoefent men in de faculteit der Letteren de meest esoterische vakken, waarvan ik als chauvinistische amerikanist het ongelooflijke belang wel eens in twijfel trok. Bovendien kon men van de scheidende hoogleraar al even lastig volhouden dat hij er met de pet naar had gegooid, nauwelijks studenten had getrokken of een lege publicatielijst had. *What was the problem?* Bestond er in geleerde kringen toch zoiets als een sluimerend anti-amerikanisme? Waarom vond iedereen het vanzelfsprekend dat vaderlandse historici vaderlandse geschiedenis bestudeerden, of Franse, Duitse, Italiaanse en Britse, maar niet de Amerikaanse historie? Omdat vijfentwintigduizend Amerikanen dat al deden?

Helaas, het antwoord op al deze vragen moet ik schuldig blijven, en dat er over de opvulling van andere leerstoelen eveneens heibel ontstond vind ik niet relevant. In Amsterdam zou het alles bijeen tien jaar duren vooraleer Rob Kroes zich hoogleraar mocht noemen – in Leiden iets minder lang, hoewel het twee jaar onbezet laten van Schulte Nordholts leerstoel bepaald niet getuigde van slagvaardigheid. Wie precies over wat konkelde en smoesde heb ik uit mijn geheugen verbannen, alleen de interventie van ambassadeur Paul Bremer staat mij nog helder voor de geest. Schulte Nordholt interesseerde het hele gedoe voor zover ik kon waarnemen slechts matig, maar ik kan mij vergissen.

Op 2 maart 1985 verscheen in de pers eindelijk de advertentie voor het Leidse ordinariaat in de geschiedenis en cultuur van Noord-Amerika. Kandidaten moesten in ieder geval een proefschrift op hun naam hebben staan – halverwege de jaren tachtig waren dat er in Nederland maar een handjevol. Tot dit groepje behoorde bijvoorbeeld Maarten van Rossem, maar toen hij tijdens een diner in een voortreffelijk Italiaans restaurant in Den Haag liet weten niet te zullen meedingen, was de zaak tamelijk snel beklonken. Mijn brief aan de commissie was geen hoogstandje – zo verklaarde ik in slaafse navolging van mijn leermeester het land aan besturen en bestuurders te hebben – maar kennelijk vonden de meeste leden mij toch voldoende 'professorabel'. Of ik ook zelf die mening was toegedaan, laat ik voor de zekerheid in het midden.

Toga en baret – in Leiden traditioneel door kleermaker Koos Sieval gemaakt – vond ik vanaf het begin ondingen. Liever zie ik hoogleraren verplicht aantreden in een scherp gesneden maatkostuum van Brioni of desnoods Armani. De zwarte jurk deed mij misschien te veel denken aan de jezuïeten door wie ik was opgevoed. Hoe dan ook, er moest een inaugurele rede van precies drie kwartier worden afgestoken. 'Verheffend en opbeurend' voor de geest noemde ik de mijne, een poging om een traditie in de vaderlandse geschiedschrijving over de Verenigde Staten te verzinnen. Geen makkelijke opgave, want je kunt moeilijk eeuwig en altijd met Huizinga en Presser komen aanzetten.

Daarom was mijn vreugde des te groter toen ik in oude jaargangen van *De Gids* op de naam Reinhard Pieter Anne Dozy stuitte, die op aandringen van Thorbecke in 1850 aan de Rijksuniversiteit Leiden was benoemd tot hoogleraar in de bespiegelende wijsbegeerte, met als speciale leeropdracht de middeleeuwse en algemene geschiedenis. Ik kende hem alleen uit het Leidse stratenboek. H.P.G. Quack memoreerde kort na Dozy's dood in 1883 dat hij zich als Amsterdams student samen met zijn vrienden periodiek naar Leiden had gespoed om 'als een fijn gerecht van een college van Dozy' te genieten. 'Het was dan overvol', schreef Quack, 'daar meer dan honderd studenten in de zaal waren. En Dozy stond daar op zijn onderhoudende, kaustieke, half en half persiflerende manier het tijdvak te behandelde, dat hij zich ten voordracht gekozen had'. Quack bewonderde hem om zijn bijtende satire, tintelende vernuft en voltairiaanse geest. Hij was bij lange na niet de enige.

Dozy's werkkracht was schier onuitputtelijk – naast de filologische en historische werken die hem tot buiten de landsgrenzen faam en vele onderscheidingen bezorgden, leverde hij regelmatig bijdragen aan *De Gids*. In 1868 werd hij rector magnificus en de traditie getrouw sloot hij twee jaar later zijn bestuurswerk met een mooie rede af. Dozy betoogde daarin dat het Westen door dezelfde oorzaken kon worden gecorrumpeerd als die waardoor de wereld van de islam in verval was geraakt. Zijn dramatische peroratie luidde aldus: 'Als het misschien, wat God verhoede!, tot het uiterste zal komen en de duisternis, waarvan de macht in deze jaren zichtbaar is toegenomen, het licht zal verdrijven, dan bezweren wij de nakomelingschap eenmaal te getuigen dat er eene schaar van mannen is geweest, die in den heetsten strijd, in het dringendste gevaar altijd moedig en onverschrokken pal hebben gestaan voor de zaak der beschaving en dat deze schaar geweest is de Academia Lugduno-Batava'.

Donderend applaus! Een van zijn toehoorders schijnt zelfs geestdriftig te hebben uitgeroepen: 'Ik wist niet dat Dozy zulk een groot man was'.

Gelet op deze redevoering is het niet te verbazen dat hij kort daarna in *De Gids* zijn gedachten over de Verenigde Staten op papier zette – ze bevatten een geloofsbelijdenis. De Europese maatschappij mocht dan vast geloven in de Vooruitgang, maar volgens Dozy ging deze veel te traag. Aan de overzijde was dat geheel anders. De wouden en prairiën van Amerika hadden in luttele jaren plaats gemaakt voor vruchtbare akkers; de ellendige wigwams voor welvarende dorpen en steden. Handel en scheepvaart bloeiden, spoorwegen doorkruisten het gehele continent. De Amerikanen gaven geen schatten aan legers uit, het kosteloze onderwijs zorgde voor verspreiding van kennis onder alle lagen van de bevolking. Feiten zonder weerga in de geschiedenis, vond Dozy, en nauwkeurige bestudering ervan achtte hij van levensbelang voor de Oude Wereld. Hij bezwoer zijn lezers daarom: 'Op het geheele veld der historie zijn er weinig onderwerpen, die zulk eene studie meer beloonen, den geest meer verheffen, een vollediger tafereel aanbieden van snelle ontwikkeling en steeds toenemenden vrijheidszin op het gebied van Staat en Godsdienst'.

Nu was het mijn beurt om te roepen: Ik wist niet dat Dozy zulk een groot man was, en mijn toehoorders voor te houden dat bestudering van de Amerikaanse geschiedenis verheffend en opbeurend voor de geest is.

XVIII

TOT DEZE SLOTSOM kwam ook de Britse historicus Peter Parish. In februari 1985 publiceerde hij een lang artikel in de *New York Times*, getiteld 'Clarifying the European view of America'. Hij stelde er in vast dat Europeanen dagelijks werden bestookt door de *sights and sounds* van de Verenigde staten, maar dat hun kennis van de Amerikaanse geschiedenis minimaal was. 'Even among those who should know better, various arguments are still articulated – or, more likely than not, implied – to justify or explain away European ignorance of the American past'. Europese amerikanisten moesten volgens Parish nog steeds hun bestaan rechtvaardigen, al constateerde hij tevens dat in de voorbije decennia ondanks onbegrip en tegenwerking veel tot stand was gebracht dat zelfs Amerikaanse historici interesseerde. Als voorbeeld noemde hij de bijdragen van de 'outstanding Dutch historian, J.W. Schulte Nordholt'.

De opdracht om het Amerikaanse heden aan het verleden te relateren was volgens Parish des te urgenter aangezien de Europese gedachte in toenemende mate anti-amerikaans van inslag werd: 'De verleiding om zichzelf als goede Europeaan te bewijzen door antiamerikaans te zijn vindt men – zelfs aan de top – bijna onweerstaanbaar'. Hier nu lag een dankbare taak voor de Europese amerikanisten. Ze moesten aantonen dat Amerikanen zowel blijvend eerbied voor hun oude idealen koesteren en tegelijk aan het front van de vernieuwing willen staan. Parish meende dat veel onbegrip voortvloeide uit het negeren van deze tweeslachtigheid.

Parish zag nog een andere taak voor zijn Europese collega's weggelegd, namelijk de redding van de Amerikaanse geschiedenis uit handen van Amerikaanse historici. Amerikanen hadden niet zelden kortzichtige opvattingen over het eigen verleden, ze vervielen dikwijls in extremen doordat vergelijkingsmateriaal ontbrak. Ze bleven geloven in hun *exceptionalism*. Wat dit betreft konden Europese historici de helpende hand bieden. Parish schreef: 'De geschiedenis van West-Europa en de Verenigde Staten vertoont veel gelijkenissen om tot een vruchtbare vergelijking te komen, maar tegelijk zo een overvloed van verschillen – in politieke ontwikkeling, klassenstructuur, etnische mix en economische groei – dat de vergelijkende benadering buitengewoon interessant en zelfs opwindend kan worden'.

Pal nadat Rob Kroes tot hoogleraar was benoemd, bracht hij op verzoek van de Sociaal-Wetenschappelijke Raad van de Koninklijke Akademie van Wetenschappen een preadvies uit over heden en toekomst van de amerikanistiek in Nederland. Veel van wat hij te berde bracht klonk vertrouwd voor wie Den Hollander en Parish had gelezen, zeker waar hij er voor pleitte Nederlanders de 'waarheid' omtrent de Verenigde Staten te openbaren. (Ik kan niet nalaten termen als waarheid en deskundigheid tussen aanhalingstekens te plaatsen.) Tegelijk probeerde hij een canon van de amerikanistiek in Nederland te schetsen, die zich beperkte tot 'die auteurs die Amerika als een probleem hebben ervaren voor de Europese cultuur'. Daarin paste natuurlijk het zwaar overschatte artikel van Menno ter Braak 'Waarom ik "Amerika" afwijs'. Je zou denk ik kunnen beweren dat nagenoeg élke Europeaan, élke Europese reiziger naar de Nieuwe Wereld Amerika als een probleem ervoer, of althans lessen uit het bestaan ervan poogde te trekken.
Dat was nog tot daar aan toe, grotere problemen had

ik met Kroes' opmerking dat de amerikanistiek in Nederland door een hokjesgeest werd beheerst en dat het daarom zinvol zou zijn ergens in Nederland een *center of excellence* aan te wijzen, een landelijk zwaartepunt. Vanzelfsprekend kon dat alleen het Amerika Instituut te Amsterdam worden. Amsterdam waar men elkaar al tien jaar naar de keel was gevlogen om een geschikte opvolger voor Den Hollander te vinden? Laat honderd, laat duizend bloemen bloeien, vond ik, en zet ze niet allemaal in één broeikas bij elkaar. Comparatieve geschiedenis? Prachtig, maar niet allemaal tegelijk. Immigratie? Nog mooier, maar tien brave assistenten-in-opleiding iedere Nederlandse emigrant laten uitzoeken? Studies op het terrein van de bilaterale betrekkingen? Schulte Nordholt had het nut ervan bewezen, maar niet iedere Nederlandse amerikanist hoefde volgens mij een kloon van Wim (of Arie) te wezen. Zelfs Peter Parish kon het niet zo bedoeld hebben. Het nut van grotere samenwerkingsverbanden, waar Kroes een lans voor brak, valt niet te ontkennen – ik zag alleen congressen voor me, die door niemand gelezen grijze bundels opleveren.

Zo gingen de wegen van Kroes en van mij uit elkaar, zonder kwade woorden. We deden wat in onze natuur lag: Rob werd net als zijn vroegere baas een dirigent en netwerker van allure en organiseerde dat het een lieve lust was – ik volgde mijn eigen inspiratie en bleef liever solist, Maximiliaan en Rooseveltiaan. Op andere ogenblikken verlustigde ik mij aan H.L. Mencken, de morbide literaire belhamel uit Baltimore, al vroeg ik mij telkens wél af of het mocht van Rob en zijn preadvies.

XIX

VOOR WIE *AMERIKAMÜDE* is – zelfs amerikanisten overkomt dat – is er geen probater middel dan de lectuur van Menckens zesdelige *Prejudices* uit de eerste helft van de jaren twintig. Gezeten achter zijn typemachine van het merk Corona, een goede sigaar bij de hand, trok Mencken van leer tegen al wat hij vals en voos vond in de Amerikaanse maatschappij, tegen charlatans en het verkeerde soort hervormers. En omdat hij een Duitse Amerikaan van de tweede generatie was moesten vooral de White Anglo Saxon Protestants (Wasps) het ontgelden. Hij bewonderde Nietzsche en Wagner, en had een haat-liefdeverhouding met Freud. Zo schreef hij in een brief, gedateerd 29 mei 1919, over Freuds oeuvre: 'One constantly encounters such words as unaufgehobenüberganggefangen and Uebermenschlichetranscendentalismus. Freud did excellent exploratory work, but has become self-hypnotized. There is good ground for hoping that, as a Jew, he will fall victim to some obscure race war in Vienna. The Polish are doing nobly'. Mencken koesterde inderdaad vooroordelen, soms heel vervelende. In datzelfde jaar, 1919, schreef hij over de rassenrellen in Washington dat hij hoopte dat de nikkers en blanke zuiderlingen elkaar voorgoed zouden uitroeien.

Jonathan Swift was Menckens grote voorbeeld: ik wil de mensheid niet vermaken maar de kast op jagen. Dat lukte hem beter dan wie ook in Amerika. Zowat iedereen moest er in zijn stukken aan geloven; tegelijk stimuleerde de manier waarop hij aanstoot gaf je levenslust, vond Walter Lippmann.

'On being American', het artikel waarmee het derde deel van *Prejudices* opent, lijkt gisteren geschreven. De Verenigde Staten waren een 'commonwealth of the third-rate', pathetisch in hun zelfoverschatting, geleid door politici van laag allooi, bevolkt door fundamentalisten, puriteinen en een *booboisie* van het ergste soort. Vooral president Wilson, 'aartsengel Woodrow', vond Mencken een verschrikking, door zijn zalvende idealisme en redevoeringen waarvan geen woord enige betekenis had. Bovendien had Wilson tijdens de Grote Oorlog een heksenjacht tegen minderheden en andersdenkenden getolereerd die volgens Mencken zijn weerga in de Amerikaanse geschiedenis niet kende. Als Duitse Amerikaan kon hij er persoonlijk over meepraten. De nieuwe wereld was een paradijs voor de *nincompoops, ignoramuses & smuthounds*, maar uiteindelijk toch ook voor Henry L. Hij schreef: 'De een houdt van de Republiek omdat de lonen er hoger zijn dan in Bulgarije; de ander omdat er wetten bestaan die hemzelf sober houden en zijn dochter kuis, en weer anderen vinden de natie prachtig omdat het Woolworthgebouw hoger is dan de kathedraal van Chartres, of omdat elders een opsporingsbevel tegen ze is uitgevaardigd. En ik? Ik voel mij hier uitstekend en amuseer mij kostelijk – ik kan niet genoeg krijgen van de show die Amerika heet'.

Mencken was midden jaren twintig de held van studerend Amerika, op de campus werd *The American Mercury* verslonden, het blad dat Mencken had opgericht en waarvandaan hij z'n banvloeken naar de homo Americanus slingerde. En toch, zo zou Huizinga tijdens zijn bezoek aan de Verenigde Staten vaststellen, was Mencken geen nihilist, eerder een opvoeder, een man met nationale idealen: 'Had hij ze niet, dan zou Amerika hem geestelijk hebben uitgeworpen, want Amerika verdraagt alles behalve pure ontkenning'.

Wijze woorden: ondanks alles bleef Mencken in zijn land geloven, zoals hij aantoonde met zijn grootse studie *The American language* waarmee hij in 1919 was begonnen en waar hij voortdurend aan bleef sleutelen. Het Amerikaans had zich tot een heel eigen taal ontwikkeld, betoogde hij, en zong zich steeds verder los van het Engels. 'The American likes to make his language as he goes along', was zijn stelling. Amerikanen lieten zich wat dit betreft door geen enkele wet of richtlijn ringeloren. (Vandaar ook zijn verering voor Lardner.) Het was de taal van de massa, dezelfde massa die hij in andere boeken zei te verachten.

Behalve satiricus was Mencken een hypochonder van allure. Hij werd gefascineerd door ziekte en dood, en trouwde in 1930 – hij was toen inmiddels vijftig – met een vrouw die volgens de dokters nog slechts drie jaar had te leven. Het werden er vijf. Vrienden, kennissen en secretaresses, met namen als Rosalind Lohrfinck en Edith Lustgarten, die het ongeluk hadden in een ziekenhuis te belanden, bezocht hij trouw. Mencken wenste elk detail over hun aandoening te weten. Zelf leed hij aan hooikoorts en tal van andere vermeende kwalen. Vanaf zijn zestigste noteerde hij in een dagboek hoe zijn lichamelijk verval voortschreed, en eindelijk, in 1948, werd hij getroffen door een ernstige beroerte. Zijn geheugen zou hem daarna in de steek laten, lezen en schrijven lukten niet meer. In 1956 kwam het einde van een glorieus journalistiek bestaan.

In de jaren erna zouden Menckens brieven en dagboeken worden gepubliceerd, waar hij niet steeds op zijn voordeligst uitkomt. Antisemitisme en racisme (historici twisten erover) waren hem bepaald niet vreemd, en zijn hetze tegen Roosevelt en de New Deal is wat mij betreft geen fraai hoofdstuk. De nieuwlichter van de jaren twintig bleek veel conservatiever dan vermoed, en zelfs verzuurd en verbitterd te raken toen FDR's Brain Trust het belastinggeld over de balk ging smijten, althans naar Menckens oordeel. Hij vond Roosevelt eigenlijk nog verachtelijker dan Wilson. Ook al omdat de president hem in december 1934 genadeloos had afgetroefd door tijdens het jaarlijkse galadiner van Amerika's journalistieke *fine fleur* de pers aan te vallen met citaten die van Henry zelf afkomstig bleken te zijn. Mencken zou deze vernedering – volgens een van zijn biografen het dieptepunt van zijn loopbaan – nooit vergeten. In oktober 1936 liet hij een kennis weten: 'He seems to me to be the most tremendous mountebank ever seen even in this country'. Na Roosevelts dood in 1945 sprak hij van 'our lamented Führer'. Daar werd ik niet vrolijk van.

XX

VROLIJK WERD IK evenmin van wat zich aan de universiteit voordeed. Geld werd steeds schaarser en met minder mensen werd je geacht tot nóg fantastischer resultaten te komen. Als hoogleraar kreeg ik de beschikking over een 'halve kop', dat wil zeggen een halve medewerker in tijdelijke dienst. Zelfs toen ik voorzitter van de vakgroep werd verzuimde ik het eigenbelang te behartigen, met de vuist op tafel te slaan. Ik had geen zin door het stof te kruipen voor een directeur-beheerder van de faculteit der Letteren die gretig van zijn macht gebruik maakte omdat geen enkele decaan hem tot de orde riep. Goede wetenschappers zijn niet per se goede bestuurders. Men vond mij vooral 'aardig en bescheiden'. En ook wel een harde werker. Als Robert Greene's *De 48 wetten van de macht* – een handboek voor sukkels als ik – eerder dan 1998 was verschenen, had ik er gebruik van kunnen maken.

Mijn grootste overwinning was dat ik vitrage voor de

ramen van mijn werkkamer kreeg, aangezien ik niet van inkijk houd. Mijn vrouw moest er wel een prijs voor betalen: elk half jaar gingen de gordijnen naar huis om gewassen te worden. Als een van de weinigen van onze Hobby Club rookte ik stug door, en wat mij eveneens van de rest onderscheidde was het feit dat ik, tot het eind van de twintigste eeuw, op een IBM bleef typen in plaats van een pc te gebruiken. Soms stond er iemand voor mijn deur om naar dat leuke ouderwetse geluid te luisteren. Een beetje schaamde ik mij wel, zeker nadat Schulte Nordholt een adept van de computer was geworden.

Sinds zijn emeritaat vertoonde hij zich slechts zelden in ons gebouw, en áls hij verscheen droeg hij een leuk jagershoedje tegen de kou. We lunchten vaak en op zondag, na de kerk, kwam hij op gezette tijden samen met Dieuwertje bij ons thuis, of gingen wij naar Wassenaar. Hij informeerde belangstellend naar mijn werk en naar de nieuwe boeken die ik op stapel had staan. Zelf werd hij geheel geabsorbeerd door het Wilson-project. Het boek verscheen precies op zijn zeventigste verjaardag.

Woodrow Wilson. Een leven voor de wereldvrede – overigens niet al te fraai door Meulenhoff uitgegeven – kreeg lovende recensies, bijvoorbeeld van Klaas van Berkel in *Spiegel Historiael*. Hij prees de biograaf omdat hij Wilson had geportretteerd als de 'dichter die verdwaalde in zijn dromen'. Ik was het er van harte mee eens.

Het enige wat mij verbaasde is dat Wim zo weinig aandacht besteedde aan Wilsons binnenlandse politiek, de *New Freedom*. Toegegeven, het ging in zijn boek om Wilson als idealistische vormgever van Amerika's buitenlandse politiek, maar het had toch geen kwaad gekund, de lezer duidelijk te maken dat er ook een heel praktische, veel minder steile president be-stond dan de prediker van wereldvrede die in Versailles zijn Waterloo vond. Bovendien kwam Mencken niet in het register voor, een omissie waar ik vooral aan moest denken toen Schulte Nordholt over Wilsons retoriek schreef: 'Hoe langer men luistert naar die onwereldse stem, die onhistorische lyriek, hoe vreemder het wordt. Het is goed om het uitvoerig te horen, het heeft een ei-gen raadselachtige bekoring'. Mencken zal zich in zijn graf hebben omgedraaid.

Net als *Voorbeeld in de verte* werd ook dit boek in het Amerikaans vertaald door Herbert Rowen, hoogleraar aan Rutgers University, een van de weinige kenners in de Verenigde Staten van de vroeg-Nederlandse geschie-denis. Hij deed dit moeizame werk geheel belangeloos, uit vriendschap en bewondering voor zijn Nederlandse collega. In 1991 kwam *Woodrow Wilson: A life for World Peace* op de Amerikaanse markt, de meeste cri-tici haalden de loftrompet voor de dag. Een Europeaan was er warempel in geslaagd, nieuw licht op Wilson te werpen. Amerikaanse historici zijn doorgaans van me-ning dat alleen zíj heden en verleden van de Verenigde Staten kunnen begrijpen. Zelfs John Garraty sugge-reerde iets dergelijks in zijn bespreking van *Wilson* voor de *New York Times*.

Schulte Nordholt had zijn ziel en zaligheid in het boek gelegd, ieder puntje van kritiek maakte hem echt kwaad. Mijn eigen op- en aanmerkingen heb ik daar-om voor me gehouden, zoals hij dat later zou doen bij de verschijning van mijn biografie over FDR in 1992. Vriendschap moet tegen een stootje kunnen, alleen: schrijvers hebben bijna zonder uitzondering lange te-nen. Je onthoudt voornamelijk de negatieve reacties. Wim noch ik vormde een uitzondering op deze regel.

Zo zal ik waarschijnlijk nooit vergeten dat in het *Tijd-schrift voor Geschiedenis*, toch niet bedoeld voor dom-oren, iemand zijn verbazing uitsprak over de titel van mijn boek *Franklin Delano Roosevelt. Koning van Amerika*. Amerika had toch geen koningen? Tja.

XXI

HOEWEL MENCKEN bij Schulte Nordholt niet in het stuk voorkwam, is Henry Cabot Lodge uiteraard alom aanwezig. Lodge was Wilsons aartsvijand en had er in 1919/20 bijna persoonlijk voor gezorgd dat de Ver-enigde Staten niet tot de Volkenbond toetraden. Alleen al om die reden vond Mencken hem geweldig. Hij zag Lodge in 1920 als voorzitter van de Republikeinse par-tijbijeenkomst optreden en schreef ervan te hebben ge-noten: 'At moments when the whole infernal Hall see-med bathed in steam by frying delegates and alterna-tives alive, he was cool as an undertaker at a hanging. He did not puff. He did not fume'. Lodge bekeek het hele gedoe met een sardonische blik, 'from a sort of aloof intellectual balcony'.

Het viel mij op dat Lodge er als 'realist' in het boek van Schulte Nordholt niet al te slecht vanaf komt. Na het soms inderdaad oeverloze gezwam van aartsengel Woodrow zijn de passages waarin Lodge over de Ame-rikaanse buitenlandse politiek aan het woord komt haast een verademing. Gaandeweg raakte ik hevig geïnteresseerd in deze plaaggeest van Wilson, de aristo-craat uit Boston, senator van Massachusetts en in zijn vroege jeugd door niemand minder dan Henry Adams op Harvard getrainde historicus.

Voor de Leidse bundel *Historici in de politiek* (1996) probeerde ik een portret van de man te schetsen, en toen ik weer wat later ontdekte dat er zoiets bestond als een Lodge-dynastie besloot ik ook daarover iets te schrijven.

Voor een Nederlandse biograaf is het wel prettig om nu en dan op een Amerikaan te stuiten die iets van ons vaderland blijkt af te weten. Zo iemand is deze Cabot Lodge, die een *soft spot* voor Nederland had omdat de voorouders van zijn boezemvriend Theodore Roosevelt (TR) ervandaan kwamen. In hun correspondentie zijn er nogal wat voorbeelden van te vinden. In 1908 schreef Lodge tijdens een van zijn vele reizen naar Europa vanuit Parijs: 'We zijn hier net gearriveerd na met groot plezier tien dagen in de Lage Landen te hebben doorgebracht. De strijd van de Hollanders tegen Spanje (niet die van ons, ha ha) was groots en meeslepend[...] Wat een moed, kracht, standvastigheid en doorzettingsvermogen hebben ze toen aan de dag gelegd – een machtig ras'.

Roosevelts vertrek uit het Witte Huis was aanstaande en hij maakte zich al gereed voor een safari door Afrika – na dat avontuur stond Europa op het programma. Lodge drong er bij hem op aan Nederland niet over te slaan: 'Je **moet** naar Holland', schreef hij. 'After all, you are one of the half dozen great men whom that little country, or rather race, has given to the world: William the Silent, Maurice of Nassau, William III, Erasmus, Troup de Reuter [sic]. It is a good company in which you belong. You ought to go to the home of your ancestors and your race. You owe them a good deal'. (TR volgde het advies van zijn vriend inderdaad op; in 1910 zou Nederland hem triomfantelijk begroeten.)

Een brief als deze is typerend voor de verhouding tussen hen beiden. De president en de senator vormden een *mutual admiration society*. Bovendien was Lodge een krachtig aanhanger van het begrip ras, in het bijzonder het Angelsaksische ras en al wat het had voortgebracht. En ten slotte greep Lodge iedere kans om zijn historische kennis ten toon te spreiden. Niet alleen zijn naaste vrienden, ook het grote publiek diende te weten dat men hier met een geleerde in de politiek had te maken, een uitmuntend representant van het oude Boston. Hij had dan ook tal van publicaties op zijn naam staan en schreef in 1915 – negen jaar voor zijn dood – *Early memories*, een prachtig boek. De trots van Cabot Lodge op zichzelf, op zijn voorouders en nakomelingen was spreekwoordelijk, op het arrogante af. Een journalist schreef dat God tot Lodges intimi behoorde.

Zijn plaats in de geschiedenis heeft Lodge voornamelijk te danken aan zijn bittere haat jegens Wilson. De meeste historici zijn het erover eens dat de Amerikaanse toetreding tot de Volkenbond ten offer viel aan deze (wederzijdse) gevoelens. Sommigen gaan nog verder: aangezien de Verenigde Staten in de Volkenbond ontbraken, werd in de jaren dertig geen collectieve vuist tegen nazi-Duitsland gemaakt, met Cabot Lodge als hoofdschuldige, welbeschouwd de aanstichter van de Tweede Wereldoorlog. Zo een these klinkt tamelijk ridicuul, maar ze vormt de basis van een biografie van Karl Schiftgiesser, *The gentleman from Massachusetts*, die in 1944 verscheen. Het boek werd veel gelezen, hoewel of omdat het één grote tirade tegen Lodge en zijn gedachtegoed is. Nu wil ik het belang van het bijna tragische duel tussen de Republikeinse senator en de Democratische president allerminst bagatelliseren – toch is het jammer dat Lodge voornamelijk in de geschiedenisboeken optreedt als Wilsons cynische tegenvoeter. Wanneer historici over de geleerdheid van Lodge schrijven gebeurt dat meestal op een ironische toon.

De verdenking rijst dat slechts weinigen van deze historici de publicaties van Lodge hebben gelezen, publicaties die volgens Teddy Roosevelt zonder uitzondering meesterwerken waren. Eveneens een boude bewering, maar wel in stijl. De ijdelheid en conservatieve arrogantie, die Mencken juist aanspraken, zijn voor de meeste Amerikaanse *liberal* historici aanleiding de senator eens goed op zijn nummer te zetten.

Inderdaad, Henry was geen man met een warm kloppend hart voor de mensheid. Hij werd geboren in Bostons chique *Back Bay*. Zijn moeder adoreerde hem en liet hem met tegenzin naar de Latijnse school gaan. Samen met zijn vader las hij Shakespeare en Alexander Pope, ze praatten over politiek of keken met bewondering naar de *clippers* die op Azië voeren (enkele ervan waren van papa). Harvard was zijn volgende aanlegplaats. Colleges volgde hij plichtmatig, het toneel was van jongs af aan zijn echte passie. Een van zijn glansrollen was Lady MacBeth.

Zijn wetenschappelijke belangstelling werd pas gewekt toen hij een cursus van Henry Adams over de Middeleeuwen bijwoonde. Adams leerde hem geduld en discipline – toch bleef de student zoekende naar een geschikte toekomst. Geld was niet het probleem, de familie beschikte over een flink kapitaal. Nadat Lodge zijn graad had behaald, nam hij zijn jonge vrouw mee op een grote reis door Europa, waar hij als goede Amerikaan zijn identiteit hoopte te ontdekken. Dat duurde langer dan gedacht, en Lodge vroeg zijn leermeester Adams om advies. Per brief deelde deze hem het volgende mee: 'Boston vertoont momenteel een tekort aan gezaghebbende literatoren. Iedereen die er de vaardigheden voor heeft kan zich hier makkelijk tot koning kronen, omdat er geen rivalen voor de troon zijn'. Anders gezegd: wat grootheden als Parkman, Bancroft en Motley eerder hadden gepresteerd, zou Lodge mogelijk ook kunnen doen. Maar dan moest hij wel eerst de moderne techniek van de geschiedschrijving onder de knie krijgen, zoals die in Duitsland werd bedreven waar de 'bronnen' heilig waren verklaard.

Na zijn terugkeer uit Europa meldde Lodge zich daarom opnieuw op Harvard aan als doctoraal student van Henry Adams. Over diens methode van onderwijs schreef hij later: 'He imposed Germany on his scholars with a heavy hand'. Met nog een aantal andere gevorderde studenten maakte Lodge zich de nieuwe wetenschap eigen, maar zijn dissertatie die hij in 1876 verdedigde, *The land law of the Anglo-Saxons*, was saai en zeker niet het soort boek waarmee hij in de sporen van Bancroft en Motley trad. Een aantal jaren probeerde hij zichzelf wijs te maken dat geschiedenis zijn roeping was. Nadat Adams verveeld het onderwijs op Harvard de rug had toegekeerd, nam Lodge zijn plaats in, niet – tot zijn spijt – als hoogleraar, maar prozaïsch als *tutor*. Zijn specialisme werd de Amerikaanse koloniale geschiedenis, en volgens zijn biograaf John Garraty had hij soms oorspronkelijke ideeën. Als docent was Lodge echter geen succes, ook volgens eigen inschatting. Hoewel hij in 1881 nog wel een competent overzicht schreef van de geschiedenis van de Engelse koloniën in Amerika was hij al lang tot de ontdekking gekomen dat hij zijn grote ambitie op Harvard niet zou kunnen waarmaken.

Daarom koos Lodge in de jaren tachtig voor de politiek, als Republikein. Hij leek er voor in de wieg gelegd. Reeds in 1894 werd hij gekozen tot senator voor Massachusetts, een positie die hij bijna twintig jaar bekleedde. Als politicus bleef hij belangstelling tonen voor de geschiedenis. Zijn bundels en biografieën zijn lang niet zo slecht als men gewoonlijk denkt. Zijn stijl was helder en zijn onderzoek grondig. Hij is leesbaarder dan die andere historicus in de politiek, Woodrow Wilson. In tegenstelling tot zijn mentor Adams verloor hij zijn geloof in geschiedenis als wetenschap. In een van zijn essays poneerde hij: 'We hebben veel te danken aan de nieuwe wetenschappelijke methoden, maar als we toegeven aan het onverdraaglijke dogma dat door de verwetenschappelijking van het vak alle banden met de literatuur moeten worden doorgesneden, ware het beter geweest als we de nieuwigheden nooit hadden omhelsd en gewoon op de oude voet waren doorgegaan'.

Dat was precies de opvatting van zijn vriend TR, die eveneens liefhebberde in de historie. Eigenlijk meer dan dat, want in 1912 werd hij geïnstalleerd als president van de American Historical Association. 'History as literature' noemde hij zijn *presidential address*. In 1884 hadden Lodge en Roosevelt samen een boek gepubliceerd met de veelzeggende titel *Hero tales from American history*. Geschiedenis met een boodschap van twee kampioenen van het Amerikaanse nationalisme, die als patriciërs allebei hoopten de materialistische Amerikaan te vervangen door een heroïsche, bereid tot vechten voor het glorieuze vaderland. De Spaans-Amerikaanse oorlog van 1898 was vooral het resultaat van de inspanningen van de secretaris van Marine (TR) en van senator Lodge. Als commandant van de Rough Riders bestormde Teddy op Cuba San Juan Hill en werd op slag dé gevierde held in de Verenigde Staten, terwijl Lodge in het Congres zijn uiterste best deed om bij de vredesonderhandelingen het nationaal territorium te vergroten. En natuurlijk publiceerde hij een boek over de 'splendid little war', waarin hij afrekende met de laffe burgers en politici die weigerden te geloven in Amerika's *Manifest Destiny*.

In de binnenlandse politiek toonde Lodge zich verontrust over de gevaren van het socialisme en de onrust in de arbeidende klasse – hij was nog actiever in de beweging die een halt wilde toeroepen aan de onbeperkte stroom van immigranten, steeds vaker afkomstig uit Midden- en Zuid-Europa, volksverhuizers die volgens Lodge nooit echte Amerikanen konden worden. Toen vice-president Roosevelt in 1901 door de moord op McKinley plotseling president werd, nam Lodges invloed verder toe. TR beweerde later nooit een beslissing te hebben genomen zonder er eerst zijn vriend Cabot in te betrekken.

Eind jaren tachtig, toen zij beiden op de politieke ladder omhoogklommen, schreef Roosevelt aan Lodge: 'Wat zijn onze levens toch grappig gevarieerd, Cabot! We verkeren in twee of drie werelden tegelijk, die geen weet van elkander hebben. Onze literaire vrienden hebben slechts een flauwe notie van wat wij in de politiek doen, en bijna al onze sociale en sportieve kennissen zien ons hoofdzakelijk als goede gezinshoofden, van wie de een op vossenjacht gaat en de ander in de Rockies beren achterna zit'.

Als president en senator zouden zij vanaf 1901 niet alleen over geschiedenis schrijven maar die ook maken, met als leidraad *The strenuous life*. Ze converseerden net zo makkelijk over kunst en letteren als over de nationale en internationale politiek en verbaasden elkaar met hun encyclopedische kennis.

Niet iedereen was onder de indruk van hun voortreffelijkheid, zeker Henry Adams niet, de grote Adams die zichzelf aan iedereen superieur achtte, zelfs aan Teddy en Cabot. In zijn privé-correspondentie zei hij de keuze van Lodge voor de politiek ernstig te betreuren, en later – in zijn autobiografie – omschreef hij zijn voormalige pupil als een man die nooit in staat leek tot een echte keuze en zich nu eens vertoonde als compromisloze Yankee of als pure Amerikaan, dan weer schaamteloos op zoek ging naar de stemmen van Duitsers, Ieren en joden, of de geleerde historicus van Harvard uithing. Een nogal hard oordeel van een vriend van de heer en mevrouw Lodge, die herhaaldelijk met hen mee naar Europa reisde, bijvoorbeeld in 1896. (Het gezin Lodge omvatte inmiddels een dochter en twee zoons.)

De tocht voerde naar Engeland, Frankrijk en Italië en Henry Adams schreef er zoals gewoonlijk lange brieven over naar zijn vriendinnen thuis. Veel van de geneugten van Londen werden wat hem betreft bedorven door luidruchtige joden, wier zichtbaarheid in het openbare leven hij verafschuwde, en in Frankrijk liepen te veel toeristen hem voor de voeten. Maar hij was opgetogen over Mont St. Michel. 'De abdij is schitterend', schreef hij, 'en de twee dagen die wij er hebben doorgebracht waren memorabel, onze zere voeten, ruggen en magen ten spijt. We hebben urenlang alle details van de kerk bekeken [...] De jongens sleepten ons van hot naar her, en Cabot genoot van alles. Hij had professor op Harvard moeten worden, zoals ik nog hoopte toen ik hem daar onder mijn hoede had'.

Een van de jongens die Adams op sleeptouw had genomen, was George Cabot Lodge, de oudste zoon van de senator, geboren in oktober 1873. Hij was dus tweeëntwintig toen hij met Adams door Frankrijk reisde. Voor Adams was hij de zoon die hij zelf nooit had gehad. Familie en vrienden gaven George als koosnaam 'Bay', een innemende jongen die net als alle andere Lodges naar Harvard ging. Als zoon van de beroemde senator werd er veel van hem verwacht, maar Bay bleek geen briljante student en leed zichtbaar onder het feit dat hij voortdurend met zijn vader werd vergeleken. In een brief aan zijn moeder schreef hij: 'Soms wens ik dat ik niet zo een intelligente vader heb omdat men van mij verwacht dat ik het beter doe dan ik kan. Toen mijn hoogleraar Engels een werkstuk van me onvoldoende gaf zei hij: "Mijnheer Lodge, juist ú had een beter resultaat moeten behalen". Hij heeft Pa's werk kennelijk gelezen en schijnt hem te kennen'.

Bay hield, dankzij Adams en papa, echter vol en legde zich in zijn laatste jaar toe op de Franse literatuur. Hij schreef ook gedichten. Sommige stuurde hij naar zijn vader die ze, volgens een van zijn biografen, geduldig corrigeerde of geheel herschreef. Net als zijn vader toen die jong was, vond Bay het lastig om zijn toekomst in te richten. Begin 1895 schreef hij in een van zijn intieme epistels aan zijn moeder: 'Ik word *dévoré* door eerzucht – ik verlang er zó innig naar iets te doen dat zal blijven bestaan, iets van een echte man, dat ik mij voortdurend depressief voel door de gedachte daar niet toe in staat te zijn'. Voor de buitenwereld was hij echter het toonbeeld van energie – zelfs de levensmoede Adams waande zich in zijn aanwezigheid kwieker.

De twijfel bleef: Bay kon geen keuze maken tussen de kunst en een leven van actie. Om met zichzelf in het reine te komen ging hij in 1895 niet terug met zijn ouders naar Amerika. Hij liep colleges aan de Sorbonne en de universiteit van Berlijn en leerde de talen. 's Avonds werkte hij aan zijn sonnetten. In de romantiek van zijn Europese afzondering hoopte hij stilletjes op het begin van een literaire loopbaan die Boston versteld zou doen staan. In huize Lodge volgde men zijn doen en laten met bezorgdheid, maar tegelijk met begrip voor zijn vrijwillige ballingschap. De jonge Lodge moest wel een genie worden.

Bay had een paar vrienden aan Harvard overgehouden die zich eveneens op de literatuur stortten. Een van hen was Joseph Trumbull Stickney, een echte *soul mate*. Samen zwierven ze door de straten van Parijs waar on-Amerikaanse zonden werden bedreven. En ze praatten onophoudelijk over hun hoge roeping. In Berlijn probeerde Lodge Schopenhauer in het Duits te lezen en het leven van een bohémien te leiden. Tegelijk realiseerde hij zich dat hij financieel niet eeuwig afhankelijk van zijn ouders kon blijven. Hij moest aan het werk, in de Verenigde Staten.

Weer thuis kon hij zich nauwelijks onttrekken aan de bijna verstikkende omhelzing van de familie, die al zijn gedichten mirakels vond. Bay werd in Washington voorlopig de particulier secretaris van zijn vader – in plaats van zelfstandig te worden frequenteerde hij steeds vaker de salon van zijn vader, van Theodore Roosevelt en Henry Adams. Edith Wharton, die een zwak voor Bay had, schreef later in haar memoires dat de *society* van Washington hem welhaast dwong tot wat zij briljante onrijpheid noemde: 'Even more than the narrowness of his opportunities he suffered from the slightly rarefied atmosphere of mutual admiration and disdain of the rest of the world that prevailed in his immediate surroundings'.

Bay had in 1898 uiteraard geen andere keuze dan zich als vrijwilliger aan te melden voor de oorlog tegen Spanje. Men verwachtte van hem de 'heroïsche' deugden waar TR en senator Lodge op hamerden. De glorie van de strijd onderging hij als cadet op een oorlogsschip waarvan een oom commandant was. In augustus schreef hij zijn moeder: 'Het is geweldig om van nabij de werking van de tandraderen te zien en ook zelf een rad te zijn, al is het maar een kleintje'. En in een ander epistel: 'Tot nu toe niets bijzonders, maar we hebben onder vuur gelegen en heel wat Spanjaarden moesten het loodje leggen'. Alles bijeen was het ook voor *young Lodge* een prachtoorlogje. De estheet had zijn mannelijkheid bewezen maar volhardde in zijn besluit een belangrijk dichter te worden. 'Ik hoop dat hij inderdaad bij zijn beslissing zal blijven', schreef zijn vader aan Roosevelt, 'want het is een mooi vooruitzicht, en het schenkt mij tegelijk grote voldoening dat hij zich bij de Marine heeft aangemeld en zich heeft bewezen als een goede en dappere officier'.

In datzelfde jaar, 1898, publiceerde George Cabot Lodge, met financiële hulp van papa, zijn eerste dichtbundel. Hier en daar kreeg hij een vriendelijke bespreking, maar het aantal verkochte exemplaren was minimaal, net als met zijn andere bundels zou gebeuren. Henry Adams hield hem voor dat een piepklein publiek de prijs was die een dichter in de vs moest betalen voor zijn inspanningen. Vervreemding van de maatschappij diende hij te beschouwen als een onderscheiding, een veel hogere dan onverschillig welke militaire medaille.

Bay liet zich graag overtuigen. De dichtkunst was de schoonste van alle kunsten. Vooral Walt Whitman bewonderde hij hogelijk, en toch schreef hij zelf werk van een heel andere aard. Omstreeks 1900 begon hij abstracte, moeilijk te begrijpen drama's in verzen te produceren. Zelfs Adams ontging de zin van stukken als *Cain* en *Herakles*, hoewel hij later beweerde: 'Lodge's dramatic motive was always the same. It was that of Schopenhauer and Buddhism, of Oriental thought everywhere – the idea of Will making the universe, but existing only as subject'. Heel verhelderend klinkt dat niet. In zijn privé-correspondentie was Adams veel duidelijker: het drama van zijn jonge vriend was puur autobiografisch. De *Cain* die Bay had geschapen was niemand anders dan hijzelf in de strijd tegen zijn ouders.

Of zoals Adams met dodelijke ironie schreef: 'Ik heb Cain echt goed gelezen en vond de senator een beetje zwak als Adam, maar mevrouw Lodge *très réussi* als Eva'.

Het heeft er alle schijn van dat er twee George Cabot Lodges hebben bestaan. De een was de gehoorzame zoon, papa's secretaris die in 1900 de telg van een ander vooraanstaand geslacht uit New England huwde – Elizabeth Frelinghuysen Davis – en die de gelukkige vader van drie kinderen werd; de Bay die van wind, strand en zon hield en op iedereen indruk maakte door wat Wharton zijn *joyous physical life* noemde, een onderhoudende causeur en schier volmaakte representant van het Amerikaanse patriciaat. De ander was de zoekende dichter, slechts bewonderd door een kleine kring van vrienden (Stickney overleed veel te jong aan een hersentumor); Lodge die de moderne beschaving verafschuwde en zichzelf hoogachtte door zijn streven naar eeuwige roem, maar tevens besefte dat zijn eerzucht groter dan zijn talent was, hoewel zijn vader en Teddy Roosevelt niet schroomden hem te vergelijken met Swinburne en zelfs Shakespeare.

Arme jongen! En wat is het oordeel dat Edmund Wilson later over Lodge velde hard maar rechtvaardig: 'Je kunt niet zeggen dat hij een slechte dichter was – eigenlijk wás hij helemaal geen dichter'. Volgens sommigen is Lodge voornamelijk vermeldenswaard doordat de familie na zijn plotselinge dood in 1910 Henry Adams vroeg een biografie aan de dichter te wijden. Begrijpelijk genoeg twijfelde Adams, senator Lodge zou zich overal mee bemoeien en elke loftuiting te bescheiden vinden. Bovendien was hij veel minder overtuigd van Bay's talent dan hij de dichter had doen geloven. Zijn *Life of George Cabot Lodge* (1911) is daarom een tamelijk vreemd boek, in zoverre dat Adams nergens een concrete beschrijving van de gestorvene geeft maar zich verliest in abstracte beschouwingen over de verhouding tussen kunst en maatschappij. Wel citeert hij ruimschoots uit Bay's brieven aan zijn ouders en vrienden. De familie was echter teleurgesteld over het resultaat, zonder dat rechtstreeks tegen Adams te zeggen.

De treurende ouders vonden troost in hun kleinkinderen. Senator Lodge was vooral gesteld op de oudste, Henry Cabot Lodge jr., geboren in 1902. Toen Bay's weduwe haar kroost meenam voor een lang verblijf in Parijs, volgde er een drukke correspondentie. Twee dagen na Kerstmis 1912 stuurde grootvader een lang epistel over al de boeken die bij hem in de kast stonden, door hemzelf en zijn voorouders verzameld, een kostbare collectie die hij aan zijn favoriete kleinzoon zou vermaken. Hij schreef de negenjarige jongen: 'Ik vertrouw erop dat je ze niet alleen zult bewaren maar ook zult koesteren, want het is een heel grote familie die een groot huis nodig heeft voor goed onderdak. Je zult er hard voor moeten werken en een goed inkomen verdienen. Hard werken is voor ons allemaal het beste'.

De oorlog in Europa bracht Elizabeth en haar kinderen terug naar de Verenigde Staten. Onnodig te zeggen dat zij daar niet verkommerden; zowel de Cabot Lodges als de Frelinghuysens waren 'oud geld', gegoede leden van de upper class. 's Zomers werd de noordkust van Massachusetts bezocht en keek men ontspannen neer op de parvenu's. Ondanks zijn bittere conflict met president Wilson zag senator Lodge nauwlettend toe op de opvoeding van de jonge Cabot. 'An austere man, he thawed completely when with his grandson', meldt een van zijn biografen. Lang voordat deze kleinzoon naar Harvard ging werd hij ingewijd in de grote politiek – aan de wijsheid van zijn grootvader schijnt hij nimmer te hebben getwijfeld. Toen er op school en college werd gedebatteerd over de Volkenbond, verdedigde junior senior met volle inzet. Een medestudent zou zich hem als volgt herinneren: 'Hij had een vlugge geest en het hart op de tong'. Lodge roeide, danste en speelde toneel, maar gaf niets om gedichten.

In 1924 nam senator Lodge hem mee naar de Republikeinse conventie waar de volgelingen van Calvin Coolidge de 'old warrior' volledig isoleerden. In tegenstelling tot zijn kleinzoon bleef Lodge er stoïcijns onder en ging terug naar zijn hotel: 'I still remember him', zou Cabot schrijven, 'lying calmly in his blue-and-white pajamas, smiling and turning back to his Shakespeare'. Kort erna overleed hij, een onwillige prooi voor historici. Twaalf jaar later heroverde zijn kleinzoon triomfantelijk de senaatszetel die grootvader zo lang in bezit had gehouden. Een opmerkelijke overwinning omdat de Democraten in 1936 onder leiding van FDR op alle fronten een grote overwinning behaalden. Zo stond de nieuwe Republikeinse senator van Massachusetts, van wie velen dachten dat hij niet de kleinzoon maar de zóón van Cabot Lodge was, onmiddellijk in de publieke belangstelling.

Over deze Cabot Lodge de Tweede is heel wat minder geschreven dan over de Eerste, wat tot op zekere hoogte begrijpelijk is. Niemand zal hem denk ik een 'scholar in politics' durven noemen. Als student deed hij enig journalistiek werk en later in de jaren twintig werkte hij niet zonder succes voor *The Herald Tribune*. Zijn pamflet over de Amerikaanse buitenlandse politiek, *The cult of weakness,* is bepaald geen classic, terwijl zijn latere boeken – meest autobiografisch getint –

slechts matig weten te boeien. Zijn loopbaan mist dramatische hoogtepunten als de vete tussen Lodge en Wilson of de intensiteit van diens vriendschap met Teddy Roosevelt, en is evenmin te vergelijken met de haast pathetische literaire zoektocht van zijn vader, George. Omdat deze vroeg gestorven was, zou Henry II zijn gezondheid nauwlettend in de gaten houden, 's middags altijd een tukje doen en matig eten (zijn onbeschaamd geboer na afloop was het voorrecht van een patriciër).

Toch is hij voor de Amerikaanse geschiedenis belangrijker geweest dan de meesten denken. Lodge stond in de traditie van *The strenuous life* van TR, diende in de Tweede Wereldoorlog als reserveofficier en gaf in 1944 zijn senaatszetel op om in Frankrijk en Italië als liaison te opereren. Dankzij deze staat van dienst won hij twee jaar later de *Lodge seat* weer makkelijk terug. Op Capitol Hill behoorde hij tot de gematigde vleugel van de Republikeinen. Samen met zijn vriend Arthur Vandenberg nam hij afstand van zijn vooroorlogse isolationisme ten gunste van een actiever Amerikaans beleid in de wereld.

De Verenigde Naties waren volgens hem een veel beter doordachte organisatie dan de Volkenbond die zijn grootvader had getorpedeerd. Tegenover de Sovjet-Unie was Lodge van meet af aan een *hard liner*, Trumans politiek van indamming steunde hij van ganser harte. Hij ergerde zich mateloos aan de koppigheid van de conservatieven in zijn partij en schreef in zijn memoires: 'Toen ik Republikein werd dacht ik een vooruitstrevende, idealistische partij aan te treffen, in plaats van een partij van louter nee-zeggers'. Die negatievelingen speelden naar zijn mening een veel te grote rol in de naoorlogse periode.

Om die reden was Lodge een van de eersten die Eisenhower probeerden over te halen zich in 1952 kandidaat te stellen teneinde te voorkomen dat senator Robert Taft en de zijnen met de winst zouden gaan strijken. Het werd een taai gevecht, Lodge had al zijn overredingskracht nodig om de generaal ervan te doordringen dat zonder zijn aanwezigheid in het Witte Huis het Amerikaanse leiderschap in de wereld ernstig gevaar liep. Ten slotte kreeg het Eisenhower-for-president Committee zijn zin: Ike werd Trumans opvolger bij de verkiezingen van '52. Terecht dacht Lodge dat zijn aandeel hierin van vitaal belang was geweest, maar in 1952 deed hij misschien nog iets belangrijkers: hij verloor zijn senaatszetel in Massachusetts tegen alle verwachtingen in aan John F. Kennedy en plaveide zo de weg van Kennedy naar het Witte Huis, acht jaar later.

De nederlaag kwam als een schok, Lodge had de jonge, schijnbaar onervaren Kennedy ernstig onderschat en was daarom veel actiever voor Eisenhower geweest dan goed bleek te zijn voor zijn kandidatuur in de thuisstaat. Voor de Kennedy's smaakte de winst zoet omdat de familie een patriciër versloeg wiens ouders en voorouders de Ieren met minachting hadden behandeld. Lodge trachtte zijn kalmte te bewaren en liet Eisenhower weten diens overwinning belangrijker te vinden dan zijn eigen nederlaag. De nieuwe president besefte maar al te goed dat hij bij Lodge in het krijt stond en benoemde hem tot ambassadeur bij de Verenigde Naties, 'with cabinet rank'.

In zijn nieuwe hoedanigheid zou Lodge in de Verenigde Staten een bekende verschijning worden door de vertegenwoordigers van de Sovjet-Unie hard aan te pakken, als het moest regelrecht te beledigen. Op het televisiescherm speelde hij zijn rol van hoeder van de Vrije Wereld met overgave – en toen Chroesjtsjov in 1959 zijn opzienbarende rondreis door Amerika maakte, was het ambassadeur Lodge die hem, op orders van Eisenhower, begeleidde en van repliek diende. Door zijn *grandstanding* kwam Lodge tijdens de campagne van 1960 in het vizier van Nixon, de Republikeinse kandidaat: Lodge leek, ondanks bezwaren van de conservatieve vleugel, een geschikte vice-presidentskandidaat die Nixon in verlichte kringen van het Noordoosten stemmen zou kunnen opleveren.

Nixon en Lodge vormden op z'n minst een eigenaardig paar. Een medewerker van Kennedy schreef later: 'Toen we Lodge op de Republikeinse conventie zijn kandidatuur zagen aanvaarden, zei Kennedy: "dat is de laatste keer dat Nixon Lodge zal zien. Als Nixon ooit zou proberen bij de Lodges thuis op bezoek te gaan, wordt hij niet eens binnengelaten". Wat JFK bedoelde te zeggen is dat patriciërs *self-made men* tolereren, maar ook niet meer dan dat.

Waarom Nixon in 1960 verloor? Zijn fanatiekste volgelingen wisten zeker dat Lodge de schuldige was. Die had de campagne volgens hen voornamelijk slapend doorgebracht, en redevoeringen gehouden die van iedere hartstocht gespeend waren. Bovendien had hij Nixon in een lastig parket gebracht door, zonder diens medeweten, te beloven dat er een Afrikaanse Amerikaan in het Republikeinse kabinet zou worden opgenomen. In zekere zin hadden zij wel gelijk: Lodge jr. had lang niet zo een grondige hekel aan de Democraten als zijn grootvader – tot aan het einde toe bleef hij een gentleman en het hele verkiezingsgedoe bezag hij 'from an aloof intellectual balcony', om Mencken nogmaals te citeren. Na 1960 was Lodge de Tweede plotseling ambteloos burger, tot hij, in 1963, een nieuwe mogelijkheid kreeg de loop van de geschiedenis te beïnvloeden. Het laatste hoofdstuk van zijn leven schreef hij in Zuid-Vietnam, als ambassadeur in Saigon.

Over de beweegredenen van president Kennedy juist

Lodge voor deze post te selecteren, lopen de meningen uiteen. Een tamelijk eigenaardige werd in omloop gebracht door Kenneth O'Donnell, een adviseur van JFK, die beweert zich te herinneren dat toen minister van Buitenlandse Zaken Dean Rusk Lodge naar voren schoof, Kennedy de benoeming goedkeurde 'because the idea of getting Lodge mixed up in such a hopeless mess as the one in Vietnam was irresistible'. Zou het dat werkelijk geweest zijn: de Ieren die weer wraak namen op de oude elite uit Boston?

O'Donnell had natuurlijk gelijk toen hij Vietnam een 'hopeless mess' noemde. Daarom redeneren anderen dat Lodge naar Saigon verdween omdat Kennedy, mocht de situatie er helemaal uit de hand lopen, de schuld óók aan de Republikeinen kon geven. Een voordeel was eveneens dat Lodge vloeiend Frans sprak, de taal die hij zich tijdens zijn jeugd in Parijs had eigengemaakt. Bij de onderhandelingen met de Vietnamezen kwam dat zonder twijfel goed van pas, maar voor het overige was de kennis van Lodge – die in augustus '63 in Saigon arriveerde toen de boeddhisten in opstand waren gekomen tegen de regering-Diem – nihil.

Desondanks kwam hij al spoedig tot de slotsom, mede op aansporing van enkele medewerkers van het State Department, dat Diem alsmede diens vreselijke broer Ngo Dinh Nhu moesten verdwijnen, tenzij zij zich bereid toonden echte democraten Amerikaanse stijl te worden. Lodge zag het als zijn opdracht Diem voortdurend onder druk te zetten, met de koele arrogantie die hij van zijn grootvader had afgekeken. Het Witte Huis gunde hem opmerkelijk veel ruimte, omdat Lodge erin slaagde enige kritische Amerikaanse verslaggevers, onder wie David Halberstam en Neil Sheehan, voorlopig weer in het gareel te krijgen (Vietnam was voor de regering-Kennedy hoofdzakelijk een *pu-*

blic relations affaire.) Maar Lodge maakte van zijn vrijheid tevens gebruik opstandige Zuid-Vietnamese generaals aan te moedigen een staatsgreep te plegen. Op 1 november 1963 zou deze na veel geharrewar eindelijk plaatsvinden. Diem werd afgezet en samen met zijn broer geëxecuteerd.

De Vietnamoorlog kent vele 'keerpunten', november 1963 is stellig een van de belangrijkste. Het Witte Huis mocht diep geschokt zijn door de moorden, Lodge waste zijn handen in onschuld en schreef het Witte Huis dat in landen als Vietnam regeringswisselingen per definitie met bloedvergieten gepaard gaan. Hij verzekerde Kennedy dat de vooruitzichten in Indo-China veel beter waren nu krachtdadige generaals het bewind hadden overgenomen.

Lodge meende dat hij zijn taak uitstekend had vervuld, al werd spoedig duidelijk dat de staatsgreep niets had opgelost en juist een averechts effect had op de stabiliteit van Zuid-Vietnam. Desondanks begon een aantal bewonderaars (bij wijze van grap, zo leek het eerst) een *write-in* campagne voor Lodge in New Hampshire, waar de eerste voorverkiezingen van 1964 zouden plaats vinden. Opeens verschenen er pockets met als titel *The remarkable Henry Cabot Lodge: warrior, diplomat, candidate*, en tot ieders verbazing won de ambassadeur in New Hampshire. Kort erna werd al duidelijk dat Lodge toch geen enkele kans maakte. Hoewel hij zijn post in Saigon opgaf om campagne te voeren, moest hij machteloos toezien hoe Barry Goldwater de gematigde Republikeinen op de conventie van '64 vernederde.

In de tweede helft van de jaren zestig keerde Lodge op verzoek van president Johnson nog éénmaal naar Saigon terug, en in 1969 benoemde Nixon hem tot onderhandelaar in Parijs bij de geheime vredesbesprekingen met de Noord-Vietnamezen. Geschiedenis maakte hij echter niet langer, hij voldeed plichtmatig aan zijn taken en zijn loopbaan eindigde met een *whimper*. Zijn gezondheid liet te wensen over, na een lang ziekbed overleed Lodge in februari 1985. Op de voorpagina van de *New York Times* verscheen een artikel over de 'veelzijdige Republikein uit Massachusetts'. Amerika werd herinnerd aan de vele posten die hij met noblesse had vervuld. 'He stood nearly 6 feet 3 inches tall, was handsome in a somewhat larger-than-life way and was gifted with words – capable by turns of eloquence, wit and bruising bluntness'.

Waarom bestuderen wij andermans leven? Waarom schrijven we over de een en niet over de ander? Bij de keuzes die we maken speelt het toeval zijn gebruikelijke rol, maar ook een bepaalde vorm van sympathie voor de gekozen figuur telt. Sympathie is natuurlijk iets heel anders dan heldenverering. Over Henry Cabot Lodge II verscheen in 1966 een nogal gek boek van William J. Miller waarin hij probeerde hem als een 'real American hero' voor het nageslacht neer te zetten. Dat is uiteraard onzin en vergeefse moeite, maar tegelijk valt er wel iets voor te zeggen om Lodge tot een van de grote vergetenen uit te roepen. De voetafdrukken die hij heeft gemaakt leiden ons naar belangrijke gebeurtenissen in de Amerikaanse geschiedenis, precies als bij zijn grootvader het geval is, terwijl George Cabot Lodge weer als gefrustreerde kunstenaar boeit – mij althans.

In zijn boek over Amerikaanse politieke dynastieën beweert Stephen Hess dat de Lodges eigenlijk niet in de twintigste eeuw thuishoren: 'There is about them the salt spray of the clipper ships, the slight must of the country club, and the ingrained sense of duty of the Pilgrim Fathers'. Of dat als een compliment bedoeld is, weet ik niet, en het doet er ook niet toe.

Als je in Boston de trappen van het State House met zijn gouden koepel op loopt kun je niet om het beeld van senator John F. Kennedy heen, maar links staat, enigszins verscholen in het groen, manshoog een bronzen Cabot Lodge Sr., met op het voetstuk de tekst:

To Henry Cabot Lodge
1850-1924
Statesman and Scholar
Whose Leadership Was
Of Lasting Service
To his Countrymen

Democraten hebben er nog steeds geen graffiti overheen gespoten. Tijdens de onthulling in 1932 citeerde een spreker Lodge toen hij tijdens het grote debat over de Volkenbond had uitgeroepen: 'The United States is the world's best hope; but if you fetter her in the interests and quarrels of other nations, if you tangle her in the intrigues of Europe, you will destroy her power for good and endanger her very existence. Leave her to march freely through the centuries to come as in the years gone by'.

In 2000 kozen de Amerikanen een Republikeinse president, *His Illegitimacy*, die het unilateralisme opnieuw van harte is toegedaan.

XXII

SCHULTE NORDHOLT overleed op 16 augustus 1995 zonder dat ik mijn bevindingen over de Lodges met hem had kunnen delen. Van zijn dochter Anne hoorde ik dat tussen de post op zijn bureau een aan mij gerichte enveloppe ter verzending gereed lag, met een artikel over Franklin Roosevelt dat net in druk was verschenen. Dat ontroerde mij zeer. Op verzoek van de familie sprak ik op zijn begrafenis en voor NRC *Handelsblad* moest ik in ijltempo een korte necrologie maken. Hij was tot aan het einde actief gebleven. Zijn laatste grote boek verscheen in 1992, *De mythe van het Westen. Amerika als het laatste wereldrijk* – drie jaar later alweer door Herbert Rowen in het Amerikaans vertaald. In het exemplaar dat mijn vrouw en ik hadden gekregen stond: 'de hele geschiedenis loopt uit op FDR'.

Zijn krachtige handschrift was toen al beverig en zou door een tremor steeds moeilijker leesbaar worden. Na zijn emeritaat had Wim met nogal wat gezondheidsproblemen te kampen gehad, zijn levensvreugde was er niet minder om. Als we samen over het Rapenburg liepen zei hij: 'Alfons, moet je die wolken toch eens zien, en dat licht. Prachtig! Prachtig!' Boven een recensie van Ben Knapen van *De mythe van het Westen* stond terecht 'De hartstocht van een oude Amerikanist'. Hartstocht was zijn handelsmerk – hartstocht én eruditie. Van dat laatste gaf hij in *De mythe* volop blijk. Het was niet makkelijk een groot publiek uit te leggen wat de heliotropische verklaring van de geschiedenis is en hoe de Verenigde Staten daarin passen.

Al in de oudheid deed de gedachte opgeld dat de beschaving zich gelijk de baan van de zon van oost naar west verplaatste, een gedachte die door latere generaties zou worden overgenomen en verder uitgewerkt tot de 'translatio imperii', dat wil zeggen dat het ene rijk moest plaatsmaken voor het andere, steeds in westelijke richting. De ontdekking van Amerika kwam daarom als geroepen, zeker voor de Amerikanen zelf. Vanaf het begin der republiek geloofden zij dat hun rijk 'the world's best hope' was, zoals Cabot Lodge nog in 1919 had uitgeroepen.

Maar als de theorie ven de translatio juist was, zouden ook de Verenigde Staten ooit in verval raken en hun macht verliezen. Zou de cirkel van de beschaving in China worden gesloten en vandaaruit opnieuw beginnen? 'Westward the course of Empire takes its way', had bisschop George Berkeley in het midden van de achttiende eeuw beweerd – en zolang de Verenigde Staten in de twee eeuwen erna hun adembenemende expansie beleefden, leek hij gelijk te krijgen. De Amerikaanse republiek omhelsde haar Manifest Destiny, maar op gezette tijden rees ook daar twijfel over de uitkomst van deze missie. Tegen het einde van de twintigste eeuw prangde de vraag wie er gelijk had: de historicus Paul Kennedy die Amerika in de traditie van de translatio plaatste en overal verval zag, of de filosoof Francis Fukuyama die in 'The end of history' poneerde dat de 'Amerikaanse' ideologie universeel was geworden en voor geen andere meer zou plaatsmaken.

Schulte Nordholt durfde er in zijn slotbetoog geen antwoord op te geven, hij stelde over het Beloofde Land van Reagan en Bush I alleen vast: 'Er is wel hoop, maar ook onzekerheid. Ernstiger dan de politieke en economische problemen is de morele crisis waarin het land geraakt is en er is geen regering die op dat gebied werkelijk leiding geeft. Het oude kernprobleem van het uitgestrekte land is nog altijd de vraag wat er nu eigenlijk de samenbindende kracht van is'.

De mythen die het land zelf had bedacht en waarin het ondanks alle tegenslag in bleef geloven, Ronald Reagan in zijn glansrol? De heliotropische verklaring van de geschiedenis, zo besloot Schulte Nordholt, was mogelijk eveneens een mythe. Een van de vele waarmee de mensheid een zingeving aan het zinloze probeerde te geven, maar daarom niet minder de moeite van het bestuderen waard. Immers, 'irrationele gegevens blijven van de grootste betekenis en daarom blijft de geschiedenis altijd gerelateerd aan die van de mythen. Wij kunnen de geschiedenis van onze wereld niet begrijpen zonder in onze studiën die mythische elementen mee op te nemen'.

Zoals gezegd, had Schulte Nordholt jaren op dit boek zitten broeden. Toen ik op Vassar verbleef had hij mij al gevraagd om kopieën van bepaalde obscure, niet in Nederland te vinden teksten over het onderwerp. Ik deed mijn best, maar zou tot de ontdekking komen dat eruditie haar grenzen kent. Enkele jaren na Wims dood kreeg ik bij toeval *Lettres sur l'Amérique du Nord* van de Franse denker en econoom Michel Chevalier onder ogen, twee delen die in 1836 verschenen. Ik heb er elders over geschreven maar kan toch niet nalaten om, bij wijze van testament, nogmaals de aandacht op dit schitterende boek te vestigen, dat jammer genoeg is overschaduwd door Tocqevilles beroemde werk uit hetzelfde decennium.

Chevalier opent zijn boek nota bene met een lange verhandeling over de beschaving die zich van het oosten naar het westen verplaatst. Amerika was volgens hem voorbestemd Europa te overvleugelen. In *De mythe van het Westen* komt Chevalier echter nergens ter sprake, wat ik niet als kritiek bedoel maar als het bewijs van mijn veronderstelling dat je als historicus niet zonder geluk kunt. Het zou een kleine triomf zijn geweest als ik Wim dit boek achteloos had kunnen aanraden.

Klinkt het pathetisch als ik zeg dat ik Schulte Nordholt nog vrijwel iedere dag mis? Van leermeester was hij mijn 'baas' geworden, 'raadgever in alle dingen', en ten slotte een vriend en tweede vader. Sinds 1995 ben ik in de Amerikaanse geschiedenis mijn belangrijkste aanspreek- en ijkpunt kwijt – en het bedroefde ons bijna nog meer dat zijn vrouw Dieuwertje kort na Wims dood steeds verder weggleed in haar eigen wereld. Ze overleed in 2000 en ligt naast haar echtgenoot begraven op het kerkhof van de Hervormde Kerk in Wassenaar.

Ik heb mij erbij neergelegd dat ik in Leiden voorgoed Schulte Nordholts opvolger zal blijven in plaats van dat hij mijn voorganger is geweest.

Toen Freek Heijbroek, Jos van der Linde en ik ter viering van Wims vijfenzestigste verjaardag een liber amicorum samenstelden – Leo Vroman schreef 'Een kleine cyclus voor W.S.N' – kregen wij als dank een exemplaar toegestuurd van zijn gedicht 'Ogentroost', dat later eveneens zou verschijnen in *Verzamelde gedichten*. Het is een autobiografie in versvorm en daarom citeer ik er enkele strofen uit:

Betwijfeld heb ik wat ik heb geloofd,
gevreesd de stelligheid waarmee mijn stem
soms opklonk met zo'n zekerheid en klem
als kende ik de hemel uit het hoofd.

Terwijl er nauwelijks een waarheid was
die mij niet heeft verward en diep verdeeld,
en niet meer wijsheid dan van wind die speelt
en grote letters tekent in het gras.

Als er zoiets was als een samenhang
in alles wat ik schrijvend heb gedaan,
als er een kern was in mijn verdeeld bestaan
te vinden was, in twijfel en gezang,

dan was het, denk ik, dat ik kijken kon
met zoveel dankbaarheid om wat ik zag,
dat ik van kinds af aan een lange dag
heb toebehoord en aan een grote zon.

XXIII

ZONDER SCHULTE NORDHOLT moest ik mij door het
verdere verloop van het tijdperk-Clinton zien heen te
slaan. Ik beging in 1994 de vergissing om in mijn hoedanigheid van historicus een boekje aan de eerste an-
derhalf jaar van zijn bewind te wijden. Gewoon om te
kijken wat een tijdgenoot ervan vond. Sommigen hadden er wel waardering voor, maar de degelijkste commentator van NRC *Handelsblad*, J.H. Sampiemon, ergerde zich mateloos aan de wufte manier waarop ik
Bill ten tonele had gevoerd. Maar hoe kon je deze nieuwe bewoner van het Witte Huis, die aanvankelijk geen
idee had van wat het presidentschap betekende, anders
dan ironisch, ja sarcastisch benaderen? Ik had wat
graag Mencken op de Clintons afgestuurd, want ook
Hillary wist mij allerminst in te palmen. Toch zat ik,
voor zover ik mij goed herinner, níet in een rechts com-
plot.
   Mijn vooroordelen tegen beiden zou ik gedurende
heel de jaren negentig koesteren en behouden – en dat
terwijl de rest van weldenkend Nederland met Amerika's First Couple wegliep. Vooral nadat Bram Peper en
Neely Kroes de Clintons in Rotterdam een groots onthaal hadden bereid en Bill in Delft gewoon poffertjes
ging eten, wist ik de slag te hebben verloren. De grote
verleider had ook het vaderland ingepakt. (Na zijn af-
treden werd BC door makelaar Harry Mens uitgeno-

digd een lezing voor Nederlandse zakenlieden en andere Harrymensen te houden – een welverdiende straf.)

Uit balorigheid ging ik in Leiden steeds vaker colleges over rechts Amerika geven. Studenten verdiepten zich op mijn aanraden – nog vóór Andreas Kinneging zijn conservatieve kruistocht begon – in de Ku Klux Klan, in J. Edgar Hoovers FBI, in de betekenis van figuren als George Wallace, Barry Goldwater en Billy Graham. Zelf vatte ik het plan op een genuanceerde studie over Nixon te schrijven, de oud-president aan wiens graf William Jefferson Clinton in 1994 woorden van lof zou spreken en Robert Dole dikke tranen huilde.

Den Hollander had dikwijls betoogd dat Europa het *echte* Amerika niet wilde kennen. Welk Amerika dat kon zijn, heb, zoals gezegd, ik nooit goed kunnen vatten, maar ik raakte er wel steeds meer van overtuigd dat wie geen oog heeft voor de fundamentalisten in de VS en Barry & Billy *e tutti quanti* terzijde schuift als aberraties van de Amerikaanse samenleving, zoals Amerikaanse *liberal* historici eveneens plegen te doen, nooit zal begrijpen wat bijvoorbeeld critici van Clinton bewoog en waarom Newt Gingrich halverwege de jaren negentig zoveel invloed in het Congres kreeg dat Clinton zich gedwongen zag een deel van het conservatieve Republikeinse programma over te nemen. Of waarom de tweede Bush Al Gore het nakijken gaf.

Nixons zwijgende meerderheid wordt te weinig serieus genomen, slechts progressief Amerika vindt genade in onze ogen omdat heel Nederland denkt een vooruitstrevend gidsland te zijn. Niet dat ik sympathiseer met het 'recht om wapens te dragen', met de barbaarse doodstraf, met het voortziekende rassenprobleem of met de oorlog tegen verdovende middelen. Alleen: met afkeer en onbegrip zul je er niet in slagen Amerika, althans een groot deel ervan, te doorgronden. De John Birch Society van de jaren vijftig en zestig is bij wijze van spreken net zo goed het bestuderen waard als de Zwarte Panters. *Liberals* hebben de wijsheid niet in pacht – zelfs Arthur Schlesinger niet.

Desondanks zal ik ten eeuwigen dage Rooseveltiaan blijven en iedere kans te baat nemen hem als een der groten van de twintigste eeuw te betitelen, hoe doortrapt zelfs FDR kon zijn.

Een goede gelegenheid diende zich in april 1995 aan toen Ruud Lubbers in Utrecht een speciale Four Freedom Awards kreeg uitgereikt wegens zijn vele verdiensten voor ons vaderland. Mij viel de eer te beurt in twintig minuten – een wanhopige exercitie – de verdiensten van Roosevelt te belichten. 'De virtuoos uit Hyde Park' noemde ik mijn hommage en met een steeds droger wordende keel (de plaag van alle rokers) zei ik het volgende tegen mijn hooggeacht publiek.

Een wonderlijke foto van Franklin Roosevelt dateert van 30 januari 1934, zijn tweeënvijftigste verjaardag. De president zit voor een reusachtige taart en wordt omringd door stafleden en secretaresses, allemaal gehuld in kleding uit de Romeinse oudheid. Roosevelt speelt – gekruiste armen en imperiale blik – voor Caesar. Zijn medewerkers zijn senator of centurion. Ook de vrouwen, onder wie zijn eega Eleanor, hebben iets ongewoons aan. Kortom, we zijn ooggetuige van een heuse verkleedpartij, een tableau vivant in het Witte Huis.

Dat kiekje is tot op zekere hoogte typerend voor Roosevelts stijl. Hij was eerder studentikoos dan zwaar op de hand. Zijn correspondentie wordt beheerst door een wel héél luchtige toon – diepgravende beschouwingen à la Wilson gaf hij zelden ten beste. Er was iets kwikzilverigs in zijn optreden, of om Saul Bellow aan te halen: Roosevelt was natuurlijk doordrongen van de ernst van het bestaan maar had tegelijkertijd een andere kant, in Bellows woorden: 'Okay. Life is real and earnest, but it is also decidedly goofy'.

Vandaar de verkleedpartijen, vandaar de plagerige humor waar Roosevelt het patent op had.

Sommigen hadden er daarom moeite mee de president serieus te nemen. Vooral degenen die hem al vanaf zijn jeugd kenden bleven hem als een lichtgewicht beschouwen. Ze herinnerden zich de playboy van vroeger, de tamelijk uitsloverige staatssecretaris van Marine in het kabinet van Wilson, die zijn eigen vlag had laten ontwerpen; het verwende kind van Sara Delano, die maar niet onder de vleugels van zijn moeder vandaan leek te komen. Toegegeven, door zijn lange strijd tegen kinderverlamming, die hem in 1921 zou treffen, was hij een krachtiger persoonlijkheid geworden, maar toen hij in 1932 presidentskandidaat van de Democraten werd en vervolgens in november met overweldigende meerderheid werd gekozen, moest menigeen iets wegslikken. Roosevelts verslagen rivaal, Herbert Hoover, wist ternauwernood zijn beleefdheid te bewaren tegenover deze goedwillende padvinder die niets snapte van de ernst van de economische situatie en op geen enkel voorstel van Hoover tot samenwerking wenste in te gaan.

Des te groter was de verbazing – bij Hoover, verbijstering – over de krachtdadigheid waarmee FDR meteen na zijn installatie aan de slag ging. Het Congres werd bedolven onder een lawine van wetsvoorstellen en gezien de benarde omstandigheden kon het voorlopig weinig anders doen dan er meteen zijn goedkeuring aan hechten. Tenslotte eisten de Amerikaanse kiezers *Action, and action Now*, zoals Roosevelt de stemming verwoordde. De vermeende lichtgewicht – onderschatting kan zijn voordelen hebben – bleek een president die de grenzen van zijn macht verkende en verlegde. Roosevelts Witte Huis was de spil van de strijd tegen werkloosheid, armoede en pessimisme over de toekomst.

Achteraf lijkt wat er in die eerste Honderd Dagen en erna gebeurde tamelijk vanzelfsprekend, maar dat was het uiteraard niet. Roosevelt kreeg al spoedig te maken met bittere vijanden die geen middel schuwden om zijn programma een halt toe te roepen of zijn persoon in diskrediet te brengen. De haat die hij opriep was ongekend – hierbij vergeleken is die tegen Clinton haast kinderspel. En niet alleen de president kwam onder vuur te liggen, ook Eleanor werd het mikpunt van spot, van leugens en laster. Immers, ze was geen First Lady die met voorname gasten kopjes thee dronk of kindertjes over de bol streek. Ze reisde heel het land door om zich persoonlijk op de hoogte te stellen van het leed dat de Grote Depressie had aangericht. Ze deed voorstellen ter verbetering van de situatie van minderheden in de Verenigde Staten, in het bijzonder de zwarte Amerikanen. Bij vijanden van het echtpaar werd het volgende versje populair: 'You kiss the Negroes/ and I'll kiss the Jews,/ and together we stay in the White House/ as long as we choose'. De New Deal heette een *Red* dan wel een *Jew* Deal – en Roosevelt was vast van plan dictatoriale bevoegdheden naar zich toe te trekken.

Historici zouden zich later afvragen hoe revolutionair de New Deal nu eigenlijk is geweest. Tegen een Europese achtergrond zijn Roosevelts initiatieven, van werkgelegenheidsprojecten tot en met de erkenning van het bestaansrecht van vakbonden, eerder gematigd dan radicaal, laat staan revolutionair. (Den Hollander wees er al op.) Roosevelt zelf betoogde dat hij 'veranderde om te behouden' en dat hij het kapitalistische stelsel tegen zichzelf in bescherming nam. Toch moeten we zijn hervormingen in een Amerikaanse context zien teneinde te begrijpen waarom ze zulke heftige weerstand van tijdgenoten opriepen en waarom de haat tegen FDR met het jaar toenam.

Dat Roosevelt er in slaagde tot driemaal toe te worden herkozen dreef de oppositie tot wanhoop – iedere keer was de *Happy Warrior* de Republikeinen te glad af, zij het met een sinds 1936 telkens slinkende meerderheid. Roosevelt maakte de Democratische partij voor ten minste drie generaties de grootste coalitie van Amerika, en hoe divers van samenstelling zij ook was, hij slaagde erin haar door zijn persoon en beleid bijeen te houden. Onnodig te zeggen dat deze ontwikkeling ook gevaren met zich meebracht. [Ruud Lubbers kon zich dit aantrekken.] De breuk met de toen nog ongeschreven wet dat een president slechts twee termijnen aanblijft, had in 1940 zeker te maken met de ernstige internationale situatie, maar niet minder met een partij die uiteen dreigde te vallen in ruziënde facties indien FDR zich niet opnieuw kandidaat zou stellen. Anders gezegd: Roosevelt had zich willens en wetens onmisbaar gemaakt. Zo slaagde hij erin om tussen 1933 en 1945 een onuitwisbaar stempel op de Amerikaanse politiek te zetten, een 'hard act to follow'.

Roosevelt deed dat met een meesterlijk gevoel voor timing en een zelden vertoonde schwung. Zijn vele persconferenties leken vaak een uitbundig steekspel, waarbij FDR de verslaggevers met open vizier tegemoet trad en zich in hun positie probeerde te verplaatsen. Ingewikkelde wetten legde hij helder als een geduldige schoolmeester uit. Hij was, kortom, 'one of the boys', uitnemend op de hoogte van alle details van het regeringsbeleid, hoewel niemand het moest wagen te familiair te worden. FDR bleef de patriciër die zelf het meeste plezier aan zijn grappen beleefde.

In de privé-sfeer was eenvoud zijn kenmerk. Zijn trots was een speciaal voor hem vervaardigd automobiel waarmee hij in de omgeving van Hyde Park korte ritjes maakte, uitbundig zwaaiend naar toevallige voorbijgangers. Hij had een erkend zwak voor onbezorgde mooie vrouwen, waar Eleanor niet toe behoorde en zijn oude vlam Lucy Mercer wél. Volgens een vast ritueel mixte hij tegen het einde van de middag zelf de cocktails voor zijn gasten. De conversatie moest vooral los van toon zijn, met uiteraard Roosevelt in het middelpunt van alle *banter*.

Ter ontspanning boog hij zich over zijn postzegelverzameling, waarvan hij volgens de Republikeinen de duurste stukken had gestolen. Of hij rommelde wat in zijn bibliotheek vol eerste drukken. Niemand slaagde er beter in dan hij om imposante ego's te strelen, hij voerde zelf het hoogste woord om niet naar het gezeur van anderen te hoeven luisteren. Wilhelmina zou later verzuchten dat de president alleen maar 'verhaaltjes' vertelde. Bezoekers werden getroffen door de ontspannen, informele sfeer in het Witte Huis. Ann O'Hare McCormick schreef in de *New York Times* dat de Roosevelts een ongekend talent hadden 'for living their private lives in public'.

Er is geen twijfel mogelijk: Franklin Roosevelt droeg de last van het ambt met soeverein gemak, waarbij we mogen veronderstellen dat de strijd tegen zijn handicap van vérstrekkende betekenis is geweest. Eleanor suggereerde herhaaldelijk dat wie met polio had leren leven voor geen enkel ander probleem terugschrok. Bovendien was hem door zijn heerszuchtige moeder van jongs af aan ingeprent te zijn voorbestemd tot grote daden. Zijn verre oom Theodore Roosevelt bleef een bron van inspiratie. De politicoloog Richard Neustadt verwoordt het aldus: 'Roosevelt had no conception of the office to live up to; he was it. His image of the office was himself-in-office'.

In een periode van crisis en oorlog werkte Roosevelts onbeperkte zelfvertrouwen als een tonicum, als een pepmiddel voor allen die wanhoopten aan het welslagen van het Amerikaanse avontuur. De Verenigde Staten volgden in het interbellum een buitenlandse politiek van afzijdigheid, waaraan zelfs Roosevelt zich een tijd lang niet kon of wilde onttrekken. Desondanks werd hij ook buiten Amerika's grenzen een symbool van hoop en herstel. Paul Valéry schreef in 1938: 'Toutes les fois que ma pensée se fait trop noire, et que je désespère de l'Europe, je ne retrouve quelque espoir qu'en pensant au Nouveau Continent'. De New Deal was een weerspiegeling van Roosevelts persoonlijkheid: gedurfd, soms chaotisch maar met een duidelijk doel voor ogen. De wetsvoorstellen die hij en zijn Brain Trust indienden waren lang niet allemaal tot in elk onderdeel doordacht, maar het Witte Huis wekte in elk geval de indruk niet bij de pakken neer te zitten. De malaise werd op alle fronten tegelijk aangevallen. Geen middel, hoe *far-fetched* ook, lieten de New Dealers onbeproefd, precies zó had FDR leren omgaan met zijn handicap.

De Roosevelts zorgden voor actie, spanning en drama, waarbij het natuurlijk een geweldig voordeel was dat de president een geboren acteur bleek te zijn. Vaste attributen waren bijvoorbeeld het lange sigarettenpijpje dat hij bijna koket hanteerde, de zwarte cape die hij zwierig om de schouders sloeg en niet te vergeten zijn wat geaffecteerde stem, via de radio te beluisteren in de *fireside chats*. David Halberstam schrijft: 'He was the first great American radio voice'. Saul Bellow vertelt in zijn herinneringen aan de jaren dertig dat hij op een warme zomeravond naar huis wandelde. Overal langs de stoepen zag hij auto's staan, bumper aan bumper, de ramen naar beneden, het portier open. Als je er langs liep kon je Roosevelts radiospeech woord voor woord volgen. Je voelde je, zo vervolgt Bellow, één worden met al die anonieme chauffeurs, met de mannen en vrouwen die zwijgend hun sigaret rookten en die nieuwe moed putten uit wat de president te zeggen had.

Roosevelt doseerde zijn *chats* zorgvuldig in de wetenschap dat de spanning gauw zou verdwijnen als hij te vaak op de radio was te horen. Daarom sprak hij alleen als hij iets nieuws had te vertellen of als er een belangrijke nieuwe wet was ingediend. Zijn tekstschrijvers gingen lang van tevoren aan het werk en lieten FDR vervolgens het resultaat van hun gezwoeg zien. Die ging dan schrappen en strepen of voegde er nog een passage aan toe, voor het juiste ritme van zijn rede. In 1932 had hij al verklaard: 'The greatest duty of a statesman is to **educate**'.

De lichtheid van zijn toon lijkt volstrekt natuurlijk en allerminst het resultaat van grote inspanning. Het tegendeel is waar, zoals al wat Roosevelt deed en ondernam het product was van gedegen voorbereiding en oefening. Ook wat dit betreft toonde hij zich een voortreffelijke acteur, zij het een acteur die zichzelf regisseerde. Tijdens de twaalf jaar van zijn presidentschap zag FDR er nauwlettend op toe dat niemand hem van het toneel speelde. Hij was een prima donna, de kuren en onhebbelijkheden van de superster hierbij inbegrepen. De Britse historicus Eric Hobsbawn definieert de twintigste eeuw als *The Age of Extremes* – misschien is dat er de reden van dat Franklin Roosevelt nauwelijks in dit veelgeroemde boek voorkomt. Typerend voor FDR was immers het gematigde geestelijke klimaat waarin hij verkeerde, zijn uitgesproken scepsis tegen dogma's en het Grote Gelijk. Dat is er nu juist de reden van dat hij de Verenigde Staten min of meer ongeschonden door crisis en oorlog wist te slepen.

Ook tijdens het grote debat van 1940 en 1941 over de vraag of de Verenigde Staten actief in de oorlog in Azië en Europa moesten ingrijpen dan wel neutraal blijven, was Roosevelt de tamboer-maître die nooit te ver voor de muziek uit liep. Uiterst omzichtig stuurde hij na zijn herverkiezing aan op interventie. Voor een aantal critici gebeurde het veel te langzaam, terwijl isolationisten als Charles Lindbergh hem verweten de publieke opinie schaamteloos te manipuleren, het Congres voor te liegen en de Grondwet naar zijn hand te zetten. Eerst de Japanse aanval op Pearl Harbor zou de president van al zijn dilemma's verlossen. Na december 1941 bleef er voor *America First* vooralsnog weinig anders over dan er het zwijgen toe te doen.

De kolossale mobilisatie die daarna volgde, zou Amerika voorgoed veranderen in het 'arsenaal van de democratie', in een wereldmogendheid. Als we de films en foto's uit de oorlogstijd bekijken zien we FDR schrikbarend verouderen, de Commander in Chief kreeg diepe kringen onder de ogen en zijn schrijvende hand begon te beven. De buitenwacht kreeg evenwel alleen de man te zien die de Four Freedoms formuleerde en de grondslag legde voor de Verenigde Naties. In de herdenkingsrede die Churchill kort na FDR's overlijden in april 1945 hield, zei hij: 'I felt the utmost confidence in his upright, inspiring character'. Ontembare geestkracht was Roosevelts kenmerk geweest, en in de slotpassage van zijn speech verwees Churchill in dit verband naar de heldhaftige strijd die de president tegen zijn handicap had gevoerd, 'this extraordinary effort of the spirit over the flesh'.

Decennia na zijn dood bezorgde Roosevelt de Republikeinen nog steeds hartzeer en hoge bloeddruk, tot Ronald Reagan in de jaren tachtig als president aantrad en FDR zijn grote voorbeeld noemde. En in de jaren negentig beweerde zelfs de onverzoenlijke conservatief Newt Gingrich dat wie de democratie waarlijk liefheeft, Franklin Delano Roosevelt niet genoeg kan bestuderen. 'In menig opzicht is hij de schepper van de moderne wereld en het is, denk ik [zei Gingrich] evident dat hij als politiek leider de belangrijkste man van de twintigste eeuw is geweest'. Dat kon Hobsbawn in zijn zak steken!

Zo'n lofzang van zo'n vervaarlijke Republikein bewijst wel dat Roosevelt in Amerika op eenzame hoogte is komen te staan – maar eenzaam is wellicht het goede woord niet. Want in het pantheon van de allergrootsten zie ik FDR nog steeds joyeus gebaren met zijn sigarettenhouder en hoor ik hem zeggen: onsterfelijkheid is *decidedly goofy*.

XXIV

RUUD KREEG ZIJN *award*, maar premier Kok fluisterde in mijn oor dat hij had genoten van mijn speech. Logischerwijs stemde ik bij de volgende verkiezingen voor de PvdA. Enkele jaren nadien kwam ik opnieuw met Lubbers in aanraking, nu in het bestuur van het Instituut Clingendael. Hij werd er als voorzitter de opvolger van de joviale rasbestuurder Schelto Patijn toen deze naar Amsterdam vertrok. Lubbers wenste de vergaderingen liefst zo kort mogelijk te houden, en terecht, maar zodra hijzelf aan het woord kwam bestonden er kennelijk geen tijdslimieten en werden wij getrakteerd op bijzonder ingewikkelde betogen over mondialisering en zo.

Dat viel mij wel vaker bij voorzitters op, ook in Leiden waar de Hobby Club steeds meer op *Animal Farm* ging lijken. Productie en rendement waren er in de jaren negentig geliefde termen. 'Under the guidance of our Leader, Comrade Napoleon, I have laid five eggs in six days', las ik bij Orwell. Zo moesten ook wij kakelen bij elk artikel, bij ieder boek dat wij voortbrachten. Tegenover de zogeheten werkvloer bestond bij diverse besturen een diep wantrouwen – anders kan ik niet verklaren waarom schrijven een soort strafwerk ging worden. Althans, voor mij.

Nog beschamender was het gesol met jonge medewerkers, die van schots naar schots moesten springen om hun baantje te behouden. De Napoleons hadden immers slechts één doel: het personeelsbestand zoveel mogelijk reduceren, hoewel de buitenwereld kreeg te horen dat Leiden op kwaliteit koerste. De illusie van verandering is onuitroeibaar. Geen kwaad woord over mijn universiteit, maar het magement leek te bestaan uit goedwillende amateurs met als hobby bedrijfsleven spelen, bedrijven die onvermijdelijk op de rand van het failliet belandden. Vreemd genoeg waren er altijd collega's te vinden die hieraan meededen. Zodra zij het pluche voelden, gingen zij er toe over om lakens uit te delen, uitstaande rekeningen te vereffenen en uit de aard der zaak 'vernieuwend' op te treden. Voor zogeheten visitatiecommissies werd de rode loper uitgelegd, hun knullige rapporten uitvoerig bestudeerd. Zelfs Roel in 't Veld werd op een bepaald moment binnengehaald om de faculteit de weg naar grootheid te wijzen, maar zijn visie bleek ongrijpbaar. Wat medewerkers deden was welbeschouwd nooit goed genoeg.

Minder tedere zielen dan de mijne trokken zich van dit alles verstandig genoeg weinig aan en bleven gewoon hun werk doen. De Amerikaanse geschiedenis, in combinatie met vakken als politicologie en letterkunde: amerikanistiek, trok honderden studenten. Gelukkig werd ik bijgestaan door een kordate coördinator,

Joke Kardux, en wat later door de historicus Eduard van de Bilt, haar levensgezel. Een hele medewerker zat er nog steeds niet in, Van de Bilt verdeelde zijn tijd tussen Leiden en Amsterdam. Zo bleef ik in ieder geval discreet op de hoogte van wat zich in dat verre *center of excellence* afspeelde. (Overigens zou ook het Amerika Instituut eind jaren negentig zijn zelfstandigheid verliezen.)

'Of course all life is a process of breaking down', schreef Scott Fitzgerald in 1936 over zijn *crack-up*. De mijne kondigde zich tegen het einde van de jaren negentig aan, na een lange ziekte van mijn wederhelft. We consulteerden tal van specialisten, tot de diagnose luidde dat de ziekte van Graves had toegeslagen. Door het kwalijke middel prednison moest ze met uitpuilende ogen in een opgeblazen hoofd over straat. Men bekeek haar met bevreemde blik. De zoektocht naar herstel (wachtkamers, wachtkamers, tijdschriften uit het jaar nul) duurde drie jaar – het AMC bleek een geneesheer in dienst te hebben, de 'bruisende en kwetsbare' orbitachirurg L. Koornneef die tot operatie overging.

Intussen moest ik in Leiden op kwaliteit blijven koersen, of liever: op kwantiteit, onderwerpen voor werkstukken, scripties en proefschriften verzinnen en – geheel tegen Schulte Nordholts advies in – ook nu en dan wat besturen.

Ondanks alle regen die er valt ben ik graag in de Ardennen, maar in juni 1999 zat alles tegen. Het huis dat we hadden gehuurd, lag aan een stil weggetje, maar elke vijf minuten denderden er vrachtwagens geladen met beton overheen. Het regende ditmaal aan één stuk door; ik had het manuscript van een dissertatie meegenomen dat mij dubbel droef stemde, er brak een voortand af en op een ochtend werd ik wakker met een vreemd geluid in mijn oor, een geluid dat steeds harder werd alsof er een zwerm bijen in mijn oor zoemde. De bijen kwamen soms terecht in een straaljagermotor. Van tinnitus had ik nog nooit gehoord, maar daar leed ik volgens de deskundigen aan. Er was weinig tegen te doen, 'u moet ermee leren leven'. Er scheen iets loos met mijn binnenoor en evenwichtsorgaan, en toen ik steeds dover werd en tegelijk geen geluid meer kon verdragen, schoot ik in een depressie. 'A funeral in the brain', volgens Emily Dickinson.

Er moest een psychiater aan te pas komen om mij uit de penarie te helpen. Tot mijn vreugde ontdekte ik dat er buitengewoon aardige en bekwame *shrinks* bestaan, alsmede medicijnen die praten over je moeder enzovoort overbodig maken. Wéér een vooroordeel minder. Wel was ik maandenlang weg uit Leiden. Ik kon geen letter meer lezen of schrijven – het plezier erin kwam veel te langzaam terug en eerst toen ik met bewondering *The Hours*, de fascinerende roman van Michael Cunningham, las drong het besef door dat ik aan de beterende hand was, anders gezegd: dat mijn weerstand tegen het voortdurende lawaai in mijn hoofd groter werd dan mijn wanhoop. Ik knipte foto's uit de krant en maakte er collages van, en wenste dat ik Kurt Schwitters was. Vrienden, collega's en oud-pupillen hielpen mij verder, de e-mail was een uitkomst. Een meelevender secretariaat dan dat van de Opleiding Geschiedenis in Leiden is niet denkbaar. Uit de verte zag ik mijn onstuitbare collega C. Fasseur dankzij twee delen *Wilhelmina* van een vakbekwame historicus veranderen in een celebrity. Twee anderen, het Akademielid Nicolette Mout en *up & coming* Wim van den Doel, streden moedig voor mijn opvolging, later in de rug gesteund door rector magnificus D.D. Breimer en ambassadeur Cynthia Schneider. De leerstoel zou, als eerste in Leiden, door geldschieters van buiten gered worden. Een wonder leek geschied.

Dankzij het schrijven van brieven en briefjes krabbelde ik als schrijver overeind. Ik vatte zelfs het plan op om eindelijk het boek der boeken over Nixon, Roosevelts tegenhanger, te maken. Uitgeverij Balans had de verschijning ervan reeds lang tevoren aangekondigd, mijn boekenkast puilde uit met nixoniana. Om in de juiste stemming te raken draaide ik bij *Haldeman's diaries* John Adams' opera 'Nixon in China', en nog moderner: *Nixon* van de popgroep Lambchop. Fred J. Maroons *The Nixon years* is een prachtig fotoboek, aan *Our gang* van Philip Roth beleefde ik opnieuw plezier, terwijl de onderitel van Schlesingers pamflet uit 1960 *Kennedy or Nixon* intrigerend blijft: 'Does it make any difference?' Ik bestelde *Richard M. Nixon. Memorial tributes delivered in Congress* via het internet, en met instemming las ik een artikel van Michael Barone in US *News* van 20 september 1999 waarin hij beweert: 'Postwar America did not move gracefully into the quite different America we know today, but its movement was shaped in many ways by Richard Nixon and it cannot be imagined without him'.

Bovendien dacht ik dat ik een appeltje had te schillen met Oliver Stone, wiens film over Nixon in 1995 met veel bombarie in première ging. NRC *Handelsblad* had mij naar een voorvertoning gestuurd. Hoe spannend de film als film ook was, het script deugde naar mijn mening van geen kant.

Sinds de vertoning van JFK (1991) woedt er een kleine koude oorlog tussen Stone en de historici. Stone beweert de geschiedenis beter te snappen dan degenen die er hun vak van hebben gemaakt. In tegenstelling tot deze vakidioten zou hij, om tot de kern van bepaalde personen en gebeurtenissen door te dringen, zijn verbeelding en intuïtie de vrije loop laten en, daardoor geholpen, op zoek gaan naar een hogere waarheid dan de 'officiële' versie van de geschiedenis.

Van hún kant verwijten veel historici Stone dat hij zich met een beroep op zijn artistieke vrijheid de feiten verdraait en de voorbije werkelijkheid zodanig vervomt dat ze totaal onaannemelijk wordt. Stone zou bovendien een verborgen agenda hebben, namelijk het streven Amerikanen te bekeren tot het inzicht dat ze van de wieg tot het graf worden gemanipuleerd door een kleine groep machthebbers wier duistere praktijken zich aan het blote oog onttrekken.

Over één ding zijn de critici het echter ook eens: Oliver Stone beschikt als regisseur over een opmerkelijk talent – juist dát maakt hem extra gevaarlijk. Hoe kan een democratie gedijen als steeds meer burgers hun kennis van het openbare leven vrijwel uitsluitend ontlenen aan film en televisie? Wat we te zien krijgen is waar, want we zien het. Volgens een lippmanniaanse opvatting zouden de media zich daarom dubbel bewust moeten zijn van hun grote verantwoordelijkheid. Stone zou zich er met opzet aan onttrekken: hele en halve leugens worden in fraaie beelden verwerkt en met zijn quasi-diepzinnigheid ondermijnt hij het toch al geringe vertrouwen van de burgers in de publieke zaak nog verder.

Stone maakt er inderdaad geen geheim van veel méér te willen zijn dan zomaar een filmmaker. Hij is een rebel, schopt tegen het establishment aan, tegen vastgeroeste meningen, tegen de gevestigde geschiedenisopvatting. Als een *muckraker* in een nieuwe jas probeert hij te onthullen en de mensen wakker te schudden. Wie zijn films bekijkt begrijpt pas écht hoe de wereld in elkaar steekt en hoe de bevolking in de waan wordt gelaten dat de Amerikaanse Droom voor iedereen binnen handbereik ligt. Niet híj is een gevaar voor de democratie, dat is het huurleger criticasters van zijn werk, dat zijn de slome historici met hun voorspelbare interpretatie van de feiten.

Dat Stone zich tot Nixon voelde aangetrokken, is niet zo heel verbazingwekkend. In vraaggesprekken gaat hij hier graag op in. Hij deelde met Nixon de weerzin tegen de *best & brightest*, of om het preciezer te zeggen: tegen de welgestelde dames en heren van de Oostkust. En er is meer. In Nixon zegt hij zijn vader te herkennen, een effectenmakelaar op Wall Street die failliet ging en zich daardoor gedwongen zag zijn zoon van een dure kostschool te halen. Oliver werd verjaagd uit het paradijs van de elite. De vader had een immense bewondering voor Nixon en steunde zijn beleid en inzichten onvoorwaardelijk. Thuis liepen de conflicten tussen vader en zoon hoog op, want een Republikein was Oliver bepaald niet. Maar ik ben rijper geworden, zou hij later verklaren, en begrijp nu beter waarom *my old man* de rare snoeshaan in het Witte Huis vereerde.

Toen Stone eenmaal had besloten een film over Nixon te maken – het budget bedroeg ruim veertig miljoen dollar – wierp hij zich met zijn gebruikelijke energie op al hetgeen over Nixon was gepubliceerd. Hij stapte op oud-medewerkers van de president af (Nixon overleed in april 1994) en hoorde hen uit over de eigenaardigheden van hun voormalige baas, over hoe hij sprak en zich als een soort robot voortbewoog. Stone ging van de veronderstelling uit dat Nixon de invloedrijkste president van na de Tweede Wereldoorlog is geweest, op het persoonlijke vlak de meest gekwelde. De Amerikanen zouden hun identiteit pas goed begrijpen als ze Nixon hadden doorgrond. Tom Wicker noemde zijn biografie volgens Stone terecht *One of Us*. Kennedy was wat Amerika graag had wíllen zijn, Nixon wat Amerika werkelijk is. Stone ontleende deze stelling aan Wicker.

De film ging vergezeld van een screenplay dat in boekvorm verscheen, *Nixon. An Oliver Stone Movie* (red. Eric Hamburg, 1995). Wie er tegen op ziet de drie uur durende film of video te bekijken, kan ook gewoon *lézen* op welke manier Stone Tricky Dick analyseert. Boek en film beginnen met de volgende mededeling: hier wordt een poging gedaan tot 'the truth of Richard Nixon' door te dringen, zij het op basis van nog onvolledig historisch materiaal. De makers wilden daarmee in 1995 onderstrepen dat nog slechts een gering deel van de Watergate-tapes toegankelijk was – en impliciet dat zij voor de waarheid omtrent het koningsdrama Nixon goeddeels moesten terugvallen op de eigen verbeelding.

Men moet volgens Stone niet zeuren over een waarheid die geweld zou worden aangedaan. 'Ik probeer te provoceren', zo legde hij uit, 'en door het ontstane debat zullen de bevoegde instanties alsmede Nixons erfgenamen naar ik hoop veel meer documenten voor bestudering vrijgeven dan tot op heden is gebeurd'. Helemaal onzinnig is dat niet: mede door de controverse die *JFK* had opgeroepen, kwam er wel degelijk nieuw, zij het geen beslissend materiaal over de moord in Dallas ter beschikking van liefhebbers en geleerden.

Bij lezing van het script valt meteen de overdaad aan voetnoten op, voetnoten zoals beroepshistorici die gebruiken ten bewijze van het feit dat zij zich grondig in hun onderwerp hebben verdiept. Stone gebruikte ze naar alle waarschijnlijkheid om critici hun laatste wapens uit handen te slaan. Hij was niet alleen artistiek begaafd, maar ook een kenner van de bronnen, een historicus van allure. Nu is het onder historici een goede gewoonte nu en dan te checken of de verwijzingen ook deugdelijk zijn. Is het materiaal waarnaar wordt ver-

wezen correct verwerkt? Is Stone inderdaad een degelijk geschiedkundige? Een steekproef.

In het scenario verschijnt Nixon – die zodanig van
zichzelf is vervreemd dat het woord *ik* hem onbekend
is – als een grofgebekte zuipschuit. Termen als *cock-
sucker* liggen hem in de mond bestorven, en nog meer
houdt hij van liters alcohol. Voor het bewijs van
Nixons drankzucht verwijst Stone naar de biografie
van Stephen Ambrose, deel II, blz. 84-85. Wat blijkt?
Ambrose beweert in de bewuste passages het tegendeel
van wat Stone ons wil doen geloven. Er staat: 'Bij alle
problemen waar Nixon mee worstelde, en mijn hemel
dat waren er bijzonder veel, hoorde géén sterke drank'.
De lezer raakt op z'n minst in verwarring – Ambrose
zelf trouwens ook. In een lang artikel dat begin 1995 in
de *Washington Post* verscheen beklaagde hij zich erover dat zijn werk door Stone was misbruikt, en hij besloot zijn stuk met een geloofsbelijdenis: 'Ik ben van
mening dat historici een dure verplichting jegens de in-
tegriteit van het verleden hebben. Het is hun taak om
het verleden zo eerlijk en volledig mogelijk weer te geven. Naar deze maatstaf schiet Stone tekort'. (Volgens
de laatste gegevens dronk Nixon niet veel, maar raakte
hij al na twee glazen van slag.)

Stones reactie op deze aantijging kunnen wij zelf invullen: Ambrose behoort tot het gilde officiële historici dat
niet het lef heeft tot de historische waarheid door te
dringen.

Behalve Ambrose en andere biografen zouden ook
Nixons dochters in het openbaar hun beklag doen over
het filmportret van hun vader. John Ehrlichman klom
eveneens in de pen en uiteraard deed Henry Kissinger,
die in script en film genadeloos wordt neergezet, een
duit in het zakje. Kissinger noemde Stone een 'kwaad-

aardig gezwel' in het lichaam van de Amerikaanse democratie – van de weeromstuit zou je weer sympathie voor Stone krijgen. Maar die verdwijnt op slag als je het tweetal medewerkers ziet dat hem bij het schrijven van het scenario terzijde stond, Christopher Wilkinson en Stephen J. Rivele. De gedrukte versie wordt voorafgegaan door enkele korte essays over Nixon, onder andere één van Wilkinson. Zijn bijdrage is even verhelderend als een koortsdroom.

De vaststelling dat Nixon een geplaagd man was, zal niemand Wilkinson betwisten, maar daar blijft het niet bij. Tijdens zijn schaamteloze queeste naar het Witte Huis zou Nixon op beslissende momenten zijn geholpen door – nee, niet door zijn eigen intellect, ijver of geluk, maar door iets ondefinieerbaars, iets dat buitengewoon angstaanjagend is en door Wilkinson 'The Beast' wordt genoemd. Dat beest, zo legt hij uit, is een metafoor voor alle kwalijke elementen in de Amerikanse maatschappij ten tijde van de Koude Oorlog: de FBI van J. Edgar Hoover, andere inlichtingendiensten, het militair-industriële complex, de georganiseerde misdaad en Big Business, al even crimineel. Allemaal samengeperst in de figuur Nixon, de politicus die er zijn beroep van maakte te liegen en te schoppen, de man die zijn geweten trachtte te sussen met drank en pillen en onderwijl dood en verderf zaaide in de Verenigde Staten en daarbuiten. Nixon wás het Beest, maar hij was er tegelijk – dat is de bijzondere draai van het verhaal – het slachtoffer van. Hij deed als kandidaat en president telkens met succes een beroep op duistere machten, tot hij ze niet langer kon beheersen en het Beest op zijn beurt Nixon verslond.

Hier zijn wij aangeland bij een overtuiging die Richard Hofstadter in een bekend essay aanduidde als de *paranoid style in American politics*. Het geloof dat er-

gens door bepaalde groepen en personen een samen-
zwering wordt beraamd, zo reusachtig van omvang dat
het ons voorstellingsvermogen te boven gaat. Vanaf
het ontstaan van de Verenigde Staten tot en met Joseph
McCarthy en nog later zouden heel wat groeperingen
hun paranoia uitdragen, met soms bijzonder onaangename gevolgen. Stone en de zijnen passen, zo lijkt het,
in deze traditie wanneer zij het Beest naar voren schui-
ven als dé verklaring voor Amerika's onzalige heden-
daagse geschiedenis, die in Dallas en Watergate haar
dieptepunten heeft.

Mogelijk ligt Stones boodschap evenwel besloten in
de woorden die hij Mao in 1972 tegen Nixon laat zeggen: 'De echte oorlog woedt in onszelf – geschiedenis is
slechts het symptoom van onze ziekte'. Met deze wijsheid valt eenvoudiger te leven dan met de erkenning
van het bestaan van het Beest, een Amerikaanse varia-
tie op het monster van Loch Ness. En aangezien politiek mensenwerk is kan het beter worden verricht door
stabiele figuren, door politici die in tegenstelling tot
Nixon hun loopbaan niet beschouwen als één lange re-
vanche op hun ongelukkige jeugd.

Ondanks mijn bezwaren tegen Stones opvattingen,
begreep ik maar al te goed dat zijn film over Nixon een
belangrijke bijdrage is aan de beeldvorming over Tricky Dick, Gloomy Gus, King Richard of welke Nixons
bijnamen verder mogen wezen.

Deze beeldvorming – *The image of Nixon in American
history* – hoopte ik de basis van mijn boek te maken,
maar het binnenoor dacht daar anders over, en toen ik
plots ook nog last kreeg van draaiduizelingen liet ik
Nixon voor wat en wie hij was en besloot vervroegd uit
te treden.

Kijk ik diep in mijn hart dan zou ik de beslissing

waarschijnlijk ook zonder het miserabele drietal tinnitus, hyperacusis & menière – de wereld als draaimolen – hebben gemaakt. Na ruim drie jaar raakte ik enigszins uitgekeken op het onderwijs, op de overdracht van kennis aan jongeren die steeds jonger leken te worden. Ik had al mijn kunsten en trucjes wel vertoond, colleges werden bijna verplichte nummers, het nakijken van werkstukken een uitputtingsslag. Hoe studenten aan het werk te krijgen en te houden, hoe hun prestaties te beoordelen, hoe ze verder te helpen? Dat waren vragen die steeds zwaarder gingen wegen toen ik de zestig passeerde en het universitaire klimaat mij bovendien steeds minder beviel. *Too many chiefs, too little Indians*. Vanaf november 2000 kon je de geboorte van een nieuwe publicatie meteen op de facultaire website zetten, als in een café waar na iedere iedere consumptie wordt afgerekend. 'Wij streven ernaar met ons beleid een optimaal onderzoeksklimaat te scheppen', zo berichtte men vanuit de burelen. Het verdachte woord optimaal kwam steeds meer in zwang. En ook zogeheten protocollen werden zowat dagelijks uitgevaardigd. Voor een gewoon mens was het allemaal moeilijk te volgen: de 'papieren machinerie' draaide dol. Er was geen Schulte Nordholt meer om tegen aan te klagen, al schreef de Nijmeegse hoogleraar Peter Raedts de volgende woorden van troost: 'Kwaliteitscontroles helpen zeker om het kaf van het koren te scheiden. Wie niets of weinig publiceert, of onder de maat publiceert, valt vrijwel zeker door de mand. Maar als het erom gaat te bevorderen wat werkelijk creatief en origineel is, dan meen ik dat die constante controles dat niet alleen niet bevorderen, maar dat zij zelfs origineel en creatief werk in de weg kunnen staan'.

De geplande invoering van het bachelor/master model (Bama in de wandeling) per 2002 vermocht mij evenmin te inspireren tot een langer verblijf in Leiden. Er ontstond hoofdzakelijk knorrigheid door, terwijl de minister van Onderwijs rondbazuinde dat de Nederlandse universiteiten tot de top van de wereld moesten gaan behoren. Ach ja, Oxford aan het Rapenburg, Yale aan de Maas en Harvard aan de Amstel. Men kan zijn *targets* inderdaad niet hoog genoeg stellen. Alleen: voor de verbouwing van het Rijksmuseum toverde men achteloos een honderden miljoenen 's rijks schatkist; aan diverse faculteiten der Letteren, of hoe ze tegenwoordig mogen heten, pleegt men moord- en doodslag om een paar duizend gulden. (Voor Letteren kunnen we uiteraard makkelijk andere noodlijdende sectoren in de paarse maatschappij invullen).

Misschien zocht ik een geschikt alibi om mijn vertrek te rechtvaardigen, zoals altruïstisch plaatsmaken voor jongere collega's, maar in mijn gevoelens van onbehagen stond ik toch niet alleen. In ons gebouw aan de Doelensteeg stapte bijvoorbeeld de graecus Ilja Leonard Pfeijffer rond, tevens columnist van het universitaire weekblad *Mare*. Met gevaar voor eigen leven bestormde hij in dat blad, tegen beter weten in, de bolwerken der universitaire managers die het als hun opdracht zagen het plezier in de zuivere wetenschap te vergallen. We wisselden soms een paar woorden bij het koffieapparaat, het 'automatische uitschenkpunt'. In plaats van koffie verdient deze kolkende dichter een klassieke lauwerkrans.

Er is nog een laatste punt, het best onder woorden gebracht in een artikel van Julian Barnes. Het verscheen in de *New York Review of Books* van 12 augustus 1999 naar aanleiding van de dood van Richard Cobb, de Britse historicus die een aantal meeslepende boeken over de Franse geschiedenis op zijn naam heeft staan.

Barnes signaleerde in Cobbs latere werk een zekere melancholie en ontgoocheling, en zag als reden: 'It may be that other countries, like politicians, are there to disappoint us; and that those who take a second identity are more vulnerable to such disappointment. Your *alter* country is all that your first was not [...] Over the years, however, you may discover that the alluring differences conceal grinding similarities with your own country [...]; you may also start noticing aspects of that otherness that you dislike, or which seemed aimed at destroying what you did like about the country'.

Het citaat is te lang maar geeft mijn eigen gevoel over de Verenigde Staten, het 'andere' land, zó exact weer dat ik het zelfs onvertaald laat.

Amerika had om allerlei redenen veel van zijn magie verloren, wegens de 'grinding similarities' die Nederland ermee ging vertonen, zonder dat ik de term veramerikanisering durf te gebruiken. Door presidenten als Reagan, Clinton en tweemaal Bush en de toenemende idiotie van de verkiezingscampagnes, door het voortwoekerende rassenprobleem – door heel andere zaken die, zoals Barnes het formuleert, erop gericht zijn juist datgene kapot te maken dat je aanvankelijk voor het land had ingenomen.

Een mens kan niet alles beredeneren en verklaren. De samenhang verdween, pseudo-gebeurtenissen wisselden elkaar in steeds hoger tempo af, onvatbaar, te veel om te begrijpen. Ik wilde terug naar Fitzgeralds vergankelijke betoverende ogenblik toen de mensheid haar adem inhield, oog in oog met een nieuw continent. Iets van deze hunkering probeerde ik nog vast te leggen in *De jachtvelden van het geluk*, door Europese reizigers onder de loep te nemen die Amerika voor het eerst ontdekten en hun avonturen fris van de lever te boek stelden. Frances Wright, Chevalier, Thomas Hamilton of de vrijwel onbekende Thomas Mackay. Hun blik op de wereldmacht in wording gaf mij tijdelijk de sensatie terug die ik zelf had ervaren toen ik in de zomer van 1966 mijn Nieuwe Wereld uit de ochtendmist zag oprijzen.

XXV

RUIM DRIE DECENNIA heb ik, op mijn Leidse balkon gezeten, Amerika's heden en verleden aan mij voorbij zien trekken; tientallen, meer nog: honderden spraakmakende historische figuren bespied, bewonderd of verguisd. Met Wim Schulte Nordholt op de stoel naast mij en de Hobby Club, meestal goed gehumeurd, wel vergrijzend, wat verder naar achteren, was ik er niet weg te slaan – tot het donkerder werd en te rumoerig en ik mijn biezen pakte.
Adieu Amerika!

Leiden, 4 juli 2001

De brieven van Leidse historici en van anderen waaruit in de tekst wordt geciteerd, zijn alle in het bezit van de auteur.

De tekst is mede gebaseerd op de volgende (gereviseerde) artikelen plus voetnoten en voordrachten:

'Loon, Hendrik Willem van, *Biografisch Woordenboek van Nederland* II (Amsterdam 1985) 358-360.

'Barnouw, Adriaan Jacob, ibidem, 20-22.

'Hollander, Arie Nicolaas Jan den', ibidem, 238-241.

'Amerikanist van het eerste uur: A.N.J. den Hollander', Klaas van Berkel (red.), *Amerika in Europese ogen* ('s-Gravenhage 1990) 181-192.

'Walter Lippmann. Een zeer beroemde journalist', *NRC Handelsblad*. Z6, 17.1. 1980.

'A large place in our hearts. Franklin D. Roosevelt and the Netherlands' Middelburg, 16.10. 1982.

'Grover for President!', *NRC Handelsblad*, Z1, 30.6. 1984.

'Jan Willem Schulte Nordholt', *Jaarboek der Nederlandse Maatschappij voor Letterkunde 1995-1996* (Leiden 1997) 127-141.

Verheffend en opbeurend voor de geest. Amerika en de Amerikaanse geschiedenis in Nederland (Leiden 1986).

'De verschrikkelijke man uit Baltimore', *NRC Handelsblad*, Achterpagina, 29.6. 1977.

'Vrij Europa overzee', ibidem, Z1, 20.8. 1983.

J.F. Heijbroek, A. Lammers, A.P.G. Jos van der Linde (red.), *Geen schepsel wordt vergeten. Liber amicorum voor Jan Willem Schulte Nordholt ter gelegenheid van zijn vijfenzestigste verjaardag* (Zutphen 1985).

'De koele passie van Henry Cabot Lodge', M.Ph. Bossenbroek, M.H.E.N. Mout, C. Musterd (red.), *Historici in de politiek* (Leiden 1996), 117-139.

'The Cabot Lodges: A family portrait', Hans Bak, Hans Krabbendam (red.), *Writing lives. American biography and autobiography* (Amsterdam 1998) 172-184.
'Soldaten van de democratie. Michel Chevaliers brieven uit Amerika', M.Ph. Bossenbroek, M.E.H.N. Mout, C. Musterd (red.), *Met de Franse slag* (Leiden 1998) 143-162.

BEKNOPT LITERATUUROVERZICHT

Barnes, Julian, 'Always true to France', *New York Times Book Review*, 12.8.2000, 29-31.
Barnouw, Adriaan J., *Monthly letters on the culture and history of the Netherlands* (Assen 1969).
Battus, 'Onder moeders paraplu', NRC *Handelsblad*, Z6, 15.8.1981.
Bellow, Saul, *It all adds up. From the dim past to the uncertain future* (New York 1994).
Blum, John Morton (red.), *Public philosopher. Selected letters of Walter Lippmann* (New York 1981).
Bode, Carl (red.), *The new Mencken letters* (New York 1977).
Boyer, R.O., 'The story of everything, *The New Yorker*, 20:3; 27.3; 3.4.1943 '[Van Loon].
Brown, John M., *Through these men. Some aspects of our passing history* (Londen 1956) 141-167 [Henry Cabot Lodge jr.].
Crowley, John W., *George Cabot Lodge* (Boston 1976).
Diggins, John P., *The liberal persuasion. Athur M. Schlesinger, Jr. and the challenge of the American past* (Princeton 1997).
Elder, Donald, *Ring Lardner. A biography* (New York 1956).
Epstein, Joseph, 'Cornered by events', *Times Literary Supplement*, 9.6.1995 [Mencken], 14.

Evans, Harold, *The American Century* (New York 1998).

Evans, Richard J., *Rituals of retribution. Capital punishment in Germany, 1600-1987* (Oxford 1996).

Fechner, Charles, *The diary of H.L. Mencken* (New York 1989).

Fitzgerald, F. Scott, *The crack-up with other uncollected pieces, note-books and unpublished letters* (New York 1945) 34-40; 69-84.

Garment, Leonard, *Crazy rhythm* (New York 1997).

Garraty, John A., *Henry Cabot Lodge. A biography* (New York 1953).

Halberstam, David, *The powers that be* (New York 1979).

Hatch, Alden, *The Lodges of Massachusetts* (New York 1973).

Hess, Stephen, *America's political dynasties* (New York 1966) 445-480.

Huizinga, J., *Mijn weg tot de historie* (Haarlem 1947).

Huizinga, J., *Over historische levensidealen* (Haarlem 1915).

In strijd met de tijd. Leidse historici aan het woord (Leiden 1994).

Kalff, G., *A new Holland-America Line* (Oosterbeek z.j.).

Knapen, Ben, 'De hartstocht van een oude Amerikanist', NRC *Handelsblad*, Z3, 31.10.1992.

Kroes, Rob, *Amerika in onze ogen* (Amsterdam 1984).

Lardner jr., Ring, *'I'd hate myself in the morning'. A memoir* (New York 2000).

Lippmann, Walter, *Men of destiny*. With a new introduction by Robert Lowitt (Seattle 1970).

Lodge, Henry Cabot, *Early memories* (New York 1913).

Lodge, Henry Cabot, Remond, Charles F. (red.), *Selections from the correspondence of Theodore Roosevelt and Henry Cabot Lodge* (New York, 2dln. 1925).

Loon, Hendrik Willem van, Correspondentie met FDR in

Franklin D. & Eleanor Roosevelt Library, Hyde Park, PPF 2259.

Lorenz, Chris, *Van het universitaire front geen nieuws* (Baarn 1993).

Maney, Patrick J., *The Roosevelt presence. The life and legacy of FDR* (Berkeley 1998).

Mix, Katherine L., *Max and the Americans* (Brattleboro 1974).

Moen, Jan, e.a., *Leiden of lijden. Het handelingsrepertoire van de manager* (Assen 2000).

Otterspeer, W., *De wiekslag van hun geest. De Leidse universiteit in de negentiende eeuw* (z.p 1992).

Parrish, Peter J., 'Clarifying the European view of America', *International Herald Tribune,* 13.2. 1985, 8.

Patterson, James T., *Grand expectations. The United States, 1945-1974* (New York 1996).

Public records of Richard Nixon and Henry Cabot Lodge, *Congressional Quarterly*, Supplement, 12.7.1960.

Raedts, Peter, 'Inzicht als genade', NRC *Handelsblad*, Wetenschap & Onderwijs 10.2. 2001.

Riewald, J.G., *Sir Max Beerbohm. Man and writer* ('s-Gravenhage 1953).

Roth, Philip, *Our gang. Starring Tricky and his friends* (Londen 1971).

Rupp, J.C.C., *Van oude en nieuwe universiteiten* (Amsterdam 1997) 236-249

Schlesinger, Arthur M., *A life in the 20th century. Innocent beginnings, 1917-1950* (Boston 2000).

Stangos, Nikos (red.), *David Hockney by David Hockney* (Londen 1976)

Toplin, Robert Brent (red.), *Oliver Stone's America* (Nebraska 2000).

Trapman, Hans, *In het land van Erasmus* (Amsterdam 1999).

Valéry, Paul, *Oeuvres*, 2 dln. (Parijs 1957,1960).

Vidal, Gore, 'Love on the Hudson', *New York Review of Books*, 11.5. 1995, 4-7.

Voskuil. J.J., *Het bureau: Meneer Beerta* (Amsterdam 1996).

Waard, Michèle de, 'Zonder mythen kan een natie niet leven', NRC *Handelsblad*, Boekenbijvoegsel 1, 19.12. 1992.

Weeks, Edward, *Conversations with Walter Lippmann* (Boston 1965).

Wesseling, H.L. 'Geschiedenis en kunstgeschiedenis', H.J. de Jonge, W. Otterspeer (red.), *Altijd een vonk of twee. De Universiteit Leiden van 1975 tot 2000* (z.p. 1992).

Wicker, Tom, *One of us. Richard Nixon and the American dream* (New York 1991).

Wilson, Edmund, *The shores of light* (New York 1952).

Wright, Lawrence, *In the New World. Growing up with America 1960-1984* (New York 1988).

Yardley, Jonathan, *Ring. A biography of Ring Lardner* (New York 1977).

Zieger, Henry A., *The remarkable Henry Cabot Lodge* (New York 1964).

Ziff, Larzer, *The American 1890s* (New York 1966) 306-333 [George Cabot Lodge].